KU-459-423

БОРИС АКУНИН

НЕЧЕХОВСКАЯ ИНТЕЛЛИГЕНЦИЯ

Короткие истории
о всяком разном

Издательство АСТ
Москва

УДК 821.161.1-31
ББК 84(2Рос=Рус)6-44
А44

Разработка макета – *Оксана Сергеева*

Дизайн переплета – *Екатерина Ферез*

В оформлении использованы иллюстрации, предоставленные агентствами Fotodom, Fotobank, Shutterstock и свободными источниками

Акунин, Борис.

А44 Нечеховская интеллигенция. Короткие истории о всяком разном / Борис Акунин. – Москва: Издательство АСТ, 2016. – 320 с.: ил.

ISBN 978-5-17-098909-6

Короткие истории от Бориса Акунина!

Короткие-то они короткие, но за каждой – удивительная судьба, полузабытый исторический факт, дней старинных анекдот или какая-нибудь «вечная» проблема.

Автор переносит читателя из эпохи в эпоху, из одной точки планеты в другую, и всюду интересно, и всюду есть над чем задуматься.

Правильно пользоваться книгой надлежит так: читаете миниатюру; внимательно рассматриваете картинки; обдумываете прочитанное и мысленно спорите с автором; двигаетесь дальше.

Приятного чтения и полезного размышления!

УДК 821.161.1-31
ББК 84(2Рос=Рус)6-44

Занимательное тирановедение

Однажды я заинтересовался непраздным для российского жителя вопросом: как это так получается, что в демократическом государстве вдруг устанавливается режим единоличной власти?

Решил начать с самого начала, то есть с античности. И увлекся историей Сиракуз, процветающего греческого полиса, где в V–IV веках до н.э. после периода народовластия (конечно, относительного — по современным понятиям это скорее была олигархия) наступила эпоха диктатуры. В течение нескольких десятилетий Сиракузами правили, один за другим, два колоритных тирана, отец и сын, оба Дионисии. Историки иногда путают их, приписывая поступки одного другому, но в сущности это не столь важно. Тиран он и есть тиран.

С сиракузской демократией произошло вот что.

Дионисий Старший начинал скромным клерком в общественной конторе, ведавшей безопасностью и обороной полиса. Поднялся по служебной лестнице до должности первого военачальника. Подстроил покушение на самого себя, после чего казна выделила ему средства на личную охрану в количестве шестисот человек. Он увеличил контингент до тысячи. Потихоньку рассадил своих охранников на все ключевые посты. А потом стал и диктатором — к тому времени в Сиракузах никто уже и пикнуть не смел. Правил Дионисий Старший до самой смерти, железной рукой. Но в хорошем настроении любил и подшутить над приближенными, как все нормальные тираны. Например, над фаворитом Дамоклом.

Не забывал тиран и о высоком. С журавлями в небо, правда, не поднимался и амфор со дна морского не доставал, но зато очень любил спорт, в особенности Олимпиады.

А чё, прикольно.
Волосок чудом не оборвался...

Посылал на состязания большие команды пышно разодетых спортсменов. Правда, никаких призов они, кажется, не получали. (Это обидное упущение потом поправил Дионисий Младший, первым догадавшийся перекупать знаменитых атлетов у других полисов.)

У отца же первая Олимпиада закончилась конфузом. Он отправил в Олимпию множество невероятно роскошных колесниц, велел поставить великолепные шатры и прислал актеров, которые громогласно продекламировали поэму, сочиненную Дионисием. Однако стихи было столь отвратительны, что взыскательные греки их освистали, шатры разломали, а затем вообще прогнали сиракузцев с игр, заявив, что посланцам жестокого тирана нечего делать на Олимпиаде.

Со стихами и вообще с литературой у Дионисия Старшего всё было серьезно. Он мнил себя великим поэтом и драматургом. Однажды стихотворец Филоксен позволил себе нелестно отозваться о сочинениях владыки. Тиран обиделся и велел отправить наглеца на каменоломни. Потом сменил гнев на милость, вернул поэта ко двору, почитал вслух свои новые творения и спросил: «Ну как?» «Отправь меня обратно на каменоломни», – грустно ответствовал Филоксен.

Согласно легенде, литература Дионисия и погубила. Однажды пришла весть, что его трагедия каким-то чудом получила премию, да не где-нибудь, а в самих Афинах (сам же, поди, членов жюри и подкупил). Лауреат так обрадовался, что упился до смерти.

Есть, правда, и другая версия, согласно которой папу отравил сынок, которому тоже хотелось поправить.

Дионисий Младший был таким же самодуром, но в отличие от отца увлекался не литературой, а философией. Это к нему приехал осуществлять свою земную утопию о государе-философе мудрый, но наивный Платон.

Платон мечет бисер перед правителем

Попытки преобразовать неограниченный абсолютизм в абсолютизм просвещенный закончились тем, что Платон еле унес из Сиракуз ноги, а Дионисий стал тиранствовать пуще прежнего. В конце концов граждане выгнали своего нацлидера и он отправился в изгнание.

Финал его жизни красноречив и по-своему даже трогателен: Дионисий Младший устроился в Коринфе обыкновенным учителем. Добрый Цицерон высказывает предположение, что бывший диктатор не мог обходиться без власти и должен был тиранствовать хотя бы над детишками.

Ну и как, скажите мне, можно не любить историю?

Две гениальности

В свое время мы с Петром Вайлем — а это был один из самых умных людей, которых мне довелось знать, — много спорили о природе гениальности. Так и не договорились.

У Вайля была формула, которая ему очень нравилась: гений — это талант, помноженный на масштаб личности. Думаю, Петю попутала дружба с Иосифом Бродским, который был и талант, и личность.

Мне же кажется, что гений — нечто совсем иное. Конечно, когда одаренный человек оказывается еще и, извините за изжеванное выражение, «человеком с большой буквы», это майский день, именины сердца. Чехов там, Лев Толстой, Марк Аврелий (у каждого из нас свои любимцы).

Но история знает сколько угодно случаев, когда гениальность доставалась людям, которые во всех остальных отношениях были скверноватыми, или ужасными, или того хуже — ничтожными.

Все обожают цитировать письмо Пушкина Вяземскому про утерянные записки Байрона: «Толпа жадно читает исповеди, записки etc., потому что в подлости своей радуется унижению высокого, слабостям могущего. При открытии всякой мерзости она в восхищении. Он мал, как мы, он мерзок, как мы! Врете, подлецы: он и мал и мерзок — не так, как вы, — иначе».

К сожалению, мал и мерзок именно ТАК. И даже хуже, потому что, ведя себя ничтожно, гений роняет в грязь королевскую мантию, которой его наградили судьба или Бог (если верите в Бога).

Байрона-то молодому Пушкину защищать было легко. Хромой лорд грешил и хулиганил с размахом, возведя скандал в ранг актуального искусства. Когда гений — злодей, это еще можно перенести. Демоническое начало, аравийский ураган и всё такое. Гораздо тяжелее смириться с тем, что гений — мелкая, недостойная личность. А это ох как часто бывало.

(Здесь у меня первоначально был абзац, где я перечислял разных выдающихся писателей, которые, по воспоминаниям современников, были дрянными людьми, но потом, по соображениям корпоративной этики, я этот пассаж убрал. Думаю, вы сами найдете примеры, если пороетесь в памяти. Я-то ведь о другом.)

Мне кажется, все дело в том, что люди путают два принципиально разных вида гениальности: профессиональную и человеческую.

Насчет первой у меня есть собственное предположение, которое я изложил устами леди Эстер в моем романе «Азазель» и устами монашки Пелагии в романе «Белый бульдог». Если коротко: я полагаю, что в каждом человеке, абсолютно каждом, есть росток гениальности, просто наше несовершенное общество не умеет эту потенцию распознать и выпестовать. А если бы все школы земли были устроены по

В моих эстернатах в детей живо бы гениальность вколотили

принципу эстернатов, то через некоторое время планету заселили бы сплошные гении. (Я действительно так думаю, без дураков.)

С гениальностью второго вида дело обстоит намного сложней. Я имею в виду абсолютно прекрасных по душевным качествам людей, которые самим своим существованием согревают и освещают окружающий мир. Если вы ни разу с такими в жизни не сталкивались, искренне вам сочувствую.

Обычно такой человек виден лишь немногим, а большой мир про него знать не знает. Если какой-то добрый самарянин по случайности и попадет на скрижали, то мы даже имени его не узнаем. Так в Евангелии и останется: «Самарянин же некто».

«Профессиональному» гению почти всегда сопутствует слава, хоть бы и посмертная; «гению человечности» — редко, практически никогда. И ни в каком эстернате такого гения, боюсь, не вырастишь. Он просто рождается, и всё. Поэтому я думаю, что его ценность много выше. «Профессиональных» гениев вокруг море. Включите телевизор, войдите в Интернет, посмотрите на афиши — в глазах зарябит: актеры, музыканты, ученые, нобелевские лауреаты. А вот гениев второго вида за свою уже не короткую жизнь я встретил только трех, ну, может быть, четырех, и каждый сделал для меня — просто фактом своего существования — больше, чем (with all respect) все Достоевские и Чайковские вместе взятые.

Про вытекшее сакэ и сбежавшую кошку

Продолжаю свою доморощенную штудию природы гениальности.

Хочу обратить ваше внимание еще на одну загадку. Есть талантливые художники (давайте сосредоточимся на гениях от искусства, с ними проще), которые с возрастом портятся, а есть такие, которые к старости становятся только лучше. В чем секрет?

Не могу передать, до чего меня расстраивает, когда режиссер, снявший мои любимые фильмы, или писатель, очень многое для меня значивший, старея, начинают производить всякую постыдную бяку.

Я немало ломал голову над этим досадным явлением и вот к какому выводу пришел (прошу прощения, если изобретаю велосипед, как это со мной иногда случается). Мне кажется, что здесь, так же как с гениальностью, нужно различать два разных вида таланта.

Очень часто яркий расцвет креативности совпадает с физиологическим расцветом. Такой талант можно назвать «гормональным». Это цветок пышный и красивый. То, на что не хватает ума или вкуса, художник запросто добирает чутьем, энергетикой, «химией», обаянием (бывает, что и отрицательным). Но в пожилом возрасте гормоны буйствовать перестают, верхнее чутье ослабевает и остаются только технические навыки, которые, конечно, не пропьешь, однако от них и не захмелеешь. И выясняется, что вчерашний кумир неумен, нравственно несимпатичен, скучно тиражирует былые находки или же пускается в эксперименты, за которыми тягостно наблюдать. «Гормональный» гений очень похож на ослепительную красавицу, вся прелесть которой заключается во внешности и секс-магии. Старушки

Депрессивная картина

этого сорта часто являют собой депрессивную картину, и когда используют средства, которые когда-то безошибочно срабатывали, выходит только хуже.

Для того чтобы талантливый художник сохранил свою силу, необходимо, чтобы она опиралась не только на тестостерон, но еще на разум и сердце. Такой режиссер снимет свой лучший фильм и на седьмом десятке, как Ингмар Бергман, и даже на восьмом, как Акира Куросава. А если почувствует, что устал, то вовремя остановится, поскяольку хватит ума и такта. Вершины мастерства Лев Толстой, на мой взгляд, достиг в повести «Хаджи-Мурат» (1904), и всё, ушел из большого спорта.

Юный гений и просто мсье Рембо

Среди «гормональных» гениев и талантов тоже встречаются люди, столь требовательно относящиеся к своему дару, что, почувствовав, как он ослабевает, навсегда уходят из искусства. Например, Артюр Рембо. Все свои стихотворения, произведшие революцию в поэзии, он написал до двадцати лет, а потом сменил род занятий и до самой смерти больше не написал ни строчки. Есть такая жестокая разновидность гениальности — когда талант ярко вспыхивает в пору пубертата, а потом бесследно пропадает.

Или вот Юкио Мисима. Я много лет занимался этим писателем и очень высоко ценю его литературное дарование.

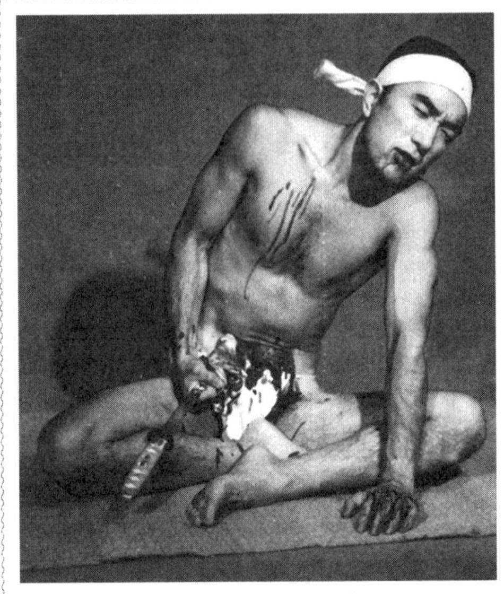

К сожалению, только это про него и помнят. (Не пугайтесь, тут Мисима пока тренируется)

Но он не был умен, вкус его часто скатывался в вульгарность, про моральные качества даже и говорить не хочу (на его совести жизнь молодого парня, которого писатель утащил за собой на тот свет). Но Мисима относился к писательству в высшей степени серьезно — как к Пути. Я уверен, что он ушел из жизни в 45 лет, потому что почувствовал: кувшин треснул, сакэ вытекло. Именно такое впечатление на меня производит его финальная тетралогия, которую он замышлял как главный литературный шедевр всех времен и народов: очень красивый, затейливо разукрашенный сосуд, но пустой. Писатель закончил работу над рукописью и в тот же день ушел из жизни, устроив шумный хеппенинг — тоже своего рода художественное произведение, оказавшееся поэффектнее тетралогии.

Если почувствовал, что твое сакэ вытекло, делать харакири не нужно. На свете столько всяких интересных и достойных занятий помимо творчества. Только не лови черную кошку в помещении, где ее больше нет, и уж во всяком случае не мяукай за нее — все равно никого, а главное себя, не обманешь.

Англия – щедрая душа

После поражения первой русской революции множество политэмигрантов нашли пристанище в Лондоне, потому что английские законы гарантировали защиту людям, которых преследуют за убеждения.

Но у некоторых политэмигрантов убеждения были опасными, привычки экзотическими, а представления о морали сугубо классовыми. Эсэры, большевики и в особенности анархисты имели обыкновение пополнять свои партийные кассы за счет «эксов», потому что собственность они считали кражей и руководствовались этическим кодексом Нечаева: «Нравственно всё, что способствует торжеству революции».

Либеральным принципам Британии предстояло выдержать тяжкое испытание.

Шайка (если угодно – группа пламенных бойцов революции) из российской Риги решила произвести экспроприацию драгоценностей у одного уайтчепельского ювелира. Темной ночью 16 декабря 1910 года, когда кварталу полагалось крепко почивать, взломщики начали сверлить стену. На их беду квартал был еврейский, а ночь субботняя, поэтому никто не спал и встревоженные подозрительным шумом соседи вызвали полицию.

Она немедленно приехала, застала злоумышленников на месте преступления, а дальше последовал big surprise. Вместо того чтобы сдаться или, на худой конец, смыться, наши соотечественники повели себя так же, как в подобной ситуации поступили бы на родине: достали «маузеры» и открыли пальбу.

Надо сказать, что лондонские констебли той поры не носили огнестрельного оружия – за ненадобностью. Местному преступнику не пришло бы в голову стрелять в бобби. Поэтому два сержанта и констебль были убиты и несколько полицейских ранены, а удивительные грабители унесли ноги.

THE DAILY GRAPHIC

ONE PENNY

LONDON, MONDAY, DECEMBER 19, 1910

CITY POLICEMEN MURDERED BY ALIEN BURGLARS.

THE TERRIBLE MIDNIGHT SCENE IN EXCHANGE BUILDINGS, HOUNDSDITCH, WHERE THREE POLICEMEN WERE MURDERED AND TWO WOUNDED BY REVOLVER SHOTS FIRED BY FOREIGNERS, WHO ARE SUPPOSED TO HAVE BEEN ATTEMPTING A BURGLARY ON NEIGHBOURING PREMISES.

Вся Англия пришла в ужас от такого неслыханного злодеяния. Это и поныне самое кровавое побоище в анналах британской полиции.

По всему Ист-Энду, где в ту пору обитало множество эмигрантов, начался грандиозный шмон. Через некоторое время выяснилось, что банда российская и состоит из «литовцев» (так английские газеты с обычным пренебрежением к племенным различиям между дикарями назвали латышей), русских и евреев.

Какой-то информатор сообщил, что их логово находится в доме на Сидней-стрит.

3 января 1911 года развернулось сражение, которое у англичан вошло в историю под названием «Осада Сидней-стрит» и сравнивалось современниками с осадой Sebastopol (а у нас оно скорее вызовет ассоциацию с «Боем за избушку лесника»).

Пятьдесят полицейских, на сей раз вооруженных до зубов, окружили дом и стали стучать в дверь. Им, how strange, и не подумали открывать. Тогда они вызвали подкрепление из еще двухсот констеблей. Начали кидать в окно камешки (честное слово). В ответ из дома открыли огонь на поражение.

Войско отступило, решив, что силы неравны. К утру прибыли еще 750 полицейских, шотландские гвардейцы с пулеметом и двадцать один гвардейский снайпер.

Черчилль в цилиндре, который вскоре продырявит шальная пуля

Началась жуткая пальба, продолжавшаяся много часов. Предполагалось, что в доме засело 30 или 40 страшных русских отморозков.

Прибыл министр внутренних дел Уинстон Черчилль.

Министр затребовал взвод саперов и два полевых орудия.

Дом наконец загорелся, крыша обвалилась. Осада была завершена.

Внутри нашли всего два трупа (в них опознали русского еврея Якова Фогеля и латыша Фрица Сварса), а больше там никого не было. Для англичан осталось загадкой, какого черта они не сдались. (Я думаю, боевики знали, что их выдадут в Россию, а там быстренько отправят на виселицу за старые дела, поэтому предпочли красную смерть на миру.)

Потом был судебный процесс, где на скамье подсудимых оказались 23-летняя Nina Vassilieve и Якоб Петерс (впоследствии знаменитый чекист). Смешные англичане оправдали их за недостатком улик.

В скандализированной русским размахом Англии развернулось движение за ужесточение иммиграционного законодательства.

К черту таких борцов за свободу, писали газеты, пусть у себя дома безобразничают. Но возобладала точка зрения, которую сформулировал член парламента Джосайя Веджвуд: «Очень просто обосновать подобные меры, но они принизят качество нашей нации... Человеческие жертвы менее страшны, чем гибель идей и измена английским традициям».

Осада Сидней-стрит

Многие эмигранты последующих поколений, в том числе российские, должны быть благодарны британцам за приверженность прекраснодушным идеям и традициям.

А британцы должны быть благодарны нам за то, что начиная с 1911 года у лондонской полиции появилось право ношения огнестрельного оружия.

День дурака в мировой истории

Решил подойти к проблеме основательно.

Пора бы. Ведь давно привык в этот день не доверять никаким новостям, а откуда взялась традиция первого апреля морочить людям голову, понятия не имею.

Оказывается, никто толком не знает, когда и почему первое апреля решили сделать днем розыгрышей.

Наиболее правдоподобная версия предполагает, что праздник дурацких шуток появился благодаря французскому королю Карлу IX, который вообще-то был тот еще шутник (вспомним Варфоломеевскую ночь). Король, собственно, и не собирался шутить, а просто в 1564 году постановил вести отсчет года с 1 января. Раньше во Франции новый год начинался 25 марта, до 1 апреля продолжались праздники, и в самый последний их день полагалось дарить подарки и раздавать слугам чаевые.

Отныне настоящие подарки стали преподносить 1 января, а в «старый новый год» давали что-нибудь не имеющее ценности, часто дурашливое. Века этак с восемнадцатого смешной французский праздник распространился по всей Европе, причем с особенным усердием его принялись отмечать англичане, любители юмора и всяческих чудачеств.

Именно британцы, кажется, придумали использовать для первоапрельского надувательства печать — и вот уже триста лет успешно эксплуатируют доверие публики к средствам массовой информации.

Одну из первых шуток такого рода отмочил Джонатан Свифт. В 1708 году он под псевдонимом «астролог Исаак Бикерстафф» опубликовал альманах с предсказаниями. Согласно одному из них, самый знаменитый тогдашний астролог по имени Партридж 29 марта должен был отправиться в мир иной. 30 марта в газете появилось сообщение, что мистер Партридж действительно приказал долго жить, а 1 апреля к «покойнику» домой пришли из похоронной конторы выяснять насчет траурной церемонии. На улице к Партриджу подходили и говорили, что он очень похож на умершего астролога; многие от него шарахались и крестились. Парт-

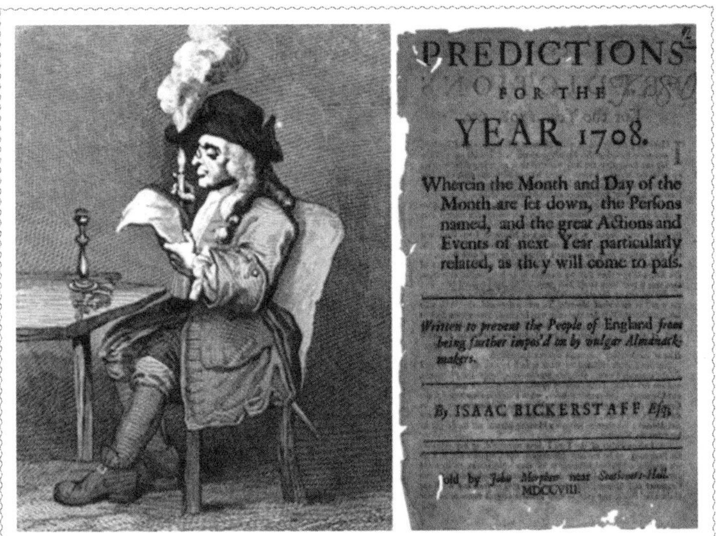

PREDICTIONS
FOR THE
YEAR 1708.
Wherein the Month and Day of the Month are set down, the Persons named, and the great Actions and Events of next Year particularly related, as they will come to pass.

Written to prevent the People of England from being further impos'd on by vulgar Almanack-makers.

By ISAAC BICKERSTAFF Esq;

Sold by John Morphew near Stationers-Hall. MDCCVIII.

«Исаак Бикерстафф» и его альманах

ридж опубликовал опровержение: я жив, жив! Но Свифт напечатал опровержение этого опровержения...

По нынешним временам остроумие не ахти какое, но девственных англичан 1708 года оно просто сразило своей замысловатой изысканностью. Кто бы мог вообразить, что альманахи и газеты могут шутить?!

Как говорится, шли годы. В девятнадцатом веке юмор стал не скажу, что тоньше, но несколько изобретательней.

31 марта 1846 года вполне респектабельное лондонское издание «Ивнинг стар» напечатало объявление: «Завтра на сельскохозяйственной выставке в Айлингтоне состоится невиданный по своей представительности показ ослов». Зеваки, пришедшие поглазеть на этих мало распространенных в Англии животных, обнаружили, что на роль ослов редакция определила своих доверчивых читателей.

Подлинного расцвета первоапрельское надувательство достигло в XX веке. Самый знаменитый и удачный розыгрыш устроил канал Би-би-си 1 апреля 1957 года. Тщательно подготовленный репортаж сообщил аудитории, что в Южной Швейцарии из-за мягкой зимы собран невиданный урожай спагетти. Было видно, как счастливые фермеры укла-

дывают длиннющую пасту в корзины. «Нет ничего вкуснее настоящих спагетти, выращенных в домашних условиях», — такими словами закончил диктор вешать макаронные изделия на уши телезрителей. Очень многие поверили и начали названивать на телевидение: где достать семена? Телефонистки отвечали: «Возьмите кусочек спагетти, посадите в банку с томатным соусом и молитесь, чтобы пророс».

Ладно, бог с ними, с англичанами. Давайте я лучше расскажу вам про несколько первоапрельских шуток, связанных с Россией, великой нашей державой, которая иностранцам почему-то всегда казалась то страшной, то смешной, а то и страшно смешной.

Однажды (дело было в XVIII веке) французский драматург Антуан Пуансинэ получил извещение, что он избран почетным членом Санкт-Петербургской академии наук. Он возгордился и взволновался, бросился за советом к друзьям — тем самым, кто прислал липовый документ. Они сказали: «Ты должен поехать в Россию и произнести перед императрицей Екатериной речь на русском языке. Царица будет потрясена и одарит тебя щедрее, чем Вольтера». Очень кстати нашелся и учитель. Бедный Пуансинэ прозанимался у него полгода, пока случайно не выяснил, что постигает премудрости древнего гэльского языка...

А вот русофильская или русофобская (решайте сами) шутка из относительно недавних времен.

1 апреля 1984 года в сети Usenet, предвестнице Интернета, появилось сообщение о том, что к сообществу присоединяется новый член — Советский Союз.

Organization: Moscow Institute for International Affairs
Contact: K. Chernenko
Phone: +7 095 840401
Postal-Address: Moscow, Soviet Union
Electronic-Address: mcvax!moskvax!kremvax!chernenko
News: mcvax kremvax kgbvax
Mail: mcvax kremvax kgbvax

Обратите внимание на имя «контакта»

Две недели все шумно радовались, что технический прогресс охватил тогдашнюю Evil Empire, но потом кто-то догадался посмотреть на дату... Между прочим, это, кажется, был вообще первый розыгрыш в Сети.

В 1995 году первого апреля шутников почему-то массово повело на нашего Владимира Ильича. В итальянском городе Кавриаго вдруг замироточила молочно-белыми слезами статуя вождя пролетарской революции (уж не знаю, откуда она там взялась — наверное, город был коммунистический). И в тот же день ирландская газета «Айриш таймс» напечатала сенсационное известие: компания «Дисней» приобрела у Российской Федерации мумию Ленина, которая теперь будет выставлена в Евродиснейленде, где построят специальный павильон со светоцветовыми эффектами и сувенирным магазином. «Дисней»-де хотел купить и Мавзолей, но русские пожелали оставить его на Красной площади, чтобы перезахоронить там останки Николая Второго.

А напоследок совсем свежая шутка по поводу другого Великого Вождя. По-моему, удачная.

Американское интернет-издание «Онион» объявило подушкообразного корейского лидера Ким Чен Ына «самым сексуальным мужчиной 2012 года».

«Ким покорил редакцию безупречностью туалетов, стильностью прически и, конечно, своей знаменитой улыбкой», — говорилось в комментарии. Не особенно остроумно, правда? Нашли над кем иронизировать. Но через несколько дней стало по-настоящему смешно. Когда новость на полном серьезе перепечатала мощная китайская «Жэньминь Жибао» — тут уж всем пришлось признать, что шутка удалась.

Единственный ее недостаток — что статья была опубликована осенью. Но по духу шутка стопроцентно первоапрельская...

Роковой пистолет

Большинство из нас суеверны, верят в хорошие или плохие приметы и предметы.

У меня у самого в студенческие годы была трехцветная тесемка, которую я повязывал на левое запястье перед каждым трудным экзаменом (единственный раз, когда забыл это сделать, был застукан со шпаргалкой и казнен на месте). Рассказывать про такую мистику приятно, хотя мало кто верит подобным чудесным историям, да и мистики при внимательном рассмотрении оказывается мало. (Во время того несчастного экзамена я вдруг сообразил, что забыл свою счастливую тесемку, и занервничал, чем себя, вероятно, и выдал.) Почему-то людям нравится думать, что на свете есть вещи, которые и не снились нашим мудрецам. Очень любит наделять неодушевленные предметы мистической силой наш брат литератор.

Но вот вам страшная сказка из жизни, подтвержденная фактами и свидетельствами. Читайте и бойтесь.

Главным героем этой жуткой фамильной истории был многоствольный карманный пистолет. Он выглядел как-то так. ↓

В 1848 году из этой на вид не очень грозной штучки застрелился генерал-от-артиллерии Даниил Герштенцвейг.

Он командовал войсками, которые по просьбе турецкого султана были отправлены Николаем в Молдавию подавлять крестьянские беспорядки (России тогда нравилось исполнять роль «жандарма Европы»), При форсировании реки Прут генерал что-то там напортачил, попросил освободить его от должности и, «впав в отчаяние и сильное душевное расстройство», наложил на себя руки.

Генерал-лейтенант Герштенцвейг

Событие для тех времен (как и для всяких других) было из ряда вон выходящее, но через некоторое время о нем забыли.

Вспомнили тринадцать лет спустя, когда из того же оружия застрелился сын самоубийцы варшавский генерал-губернатор Александр Герштенцвейг, хранивший роковой пистолет в качестве семейной реликвии.

Эта история пофабульней первой. О ней упоминают многие источники.

14-го августа 1848 г. въ Бессарабской области, въ мѣстечкѣ Леово, при карантинномъ отдѣленіи, находившійся для разсылокъ отъ моей команды дежурный рядовой, въ $5^{1}/_{2}$ часовъ утра, прибѣжалъ ко мнѣ и далъ знать, что состоявшій въ карантинной обсерваціи генералъ Герштенцвейгъ, не болѣе какъ минутъ за 10, застрѣлился въ карантинѣ, въ своемъ помѣщеніи; я тотчасъ-же пошелъ туда, гдѣ, съ соблюденіемъ должныхъ карантинныхъ правилъ, былъ допущенъ въ квартиру Данилы Александровича, видѣлъ его лежащимъ на полу, на правомъ боку, нѣсколько согнувшись; правая рука протянута впередъ, невдалекѣ лежалъ тутъ же, на полу, маленькій карманный многоствольный пистолетъ; лѣвая рука протянута на верху по корпусу; посрединѣ лба, какъ бы отпечатокъ стволовъ пистолета въ видѣ розетки, вдавленные знаки; противу одного изъ нихъ—небольшая рана, изъ которой на полъ натекла кровь, запекшаяся въ кучку; на трупѣ, кромѣ тонкой бѣлой сорочки и гарусомъ шитыхъ, на босую ногу надѣтыхъ, спальныхъ туфель, ничего не было. Въ этомъ положеніи его видѣли множество гг. генераловъ, штабъ и оберъ-офицеровъ состоявшихъ при двухъ штабахъ, въ то время въ Леовѣ собравшихся, штаба генерала Герштенцвейга и на смѣну къ нему прибывшаго генерала Лидерса; кромѣ того самоубійцу видѣли въ описанномъ мною положеніи многіе офицеры войскъ, въ Леовѣ сосредоточенныхъ, а ихъ было не мало; такимъ образомъ въ настоящее время найдется много въ живыхъ, кои могутъ подтвердить мои слова, какъ очевидца, бывшаго въ то время при главномъ штабѣ, для устройства переправы на Прутѣ.

По сути дела это было не самоубийство, а смерть на дуэли. Генерал-лейтенант Герштенцвейг поссорился со своим непосредственным начальником, варшавским наместником графом Ламбертом. Конфликт был служебным. В Польше назревало восстание, и наместник был за либеральные меры, а генерал-губернатор — за репрессивные. Крупно поговорили тет-а-тет, Герштенцвейг обозвал графа изменником, тот ответил вызовом. Во избежание политического скандала решили стреляться «по-американски», то есть по жребию, имитируя суицид. Герштенцвейг вытянул угол платка, завязанный узлом, и, верный слову, на следующий день прострелил себе голову из отцовского пистолета.

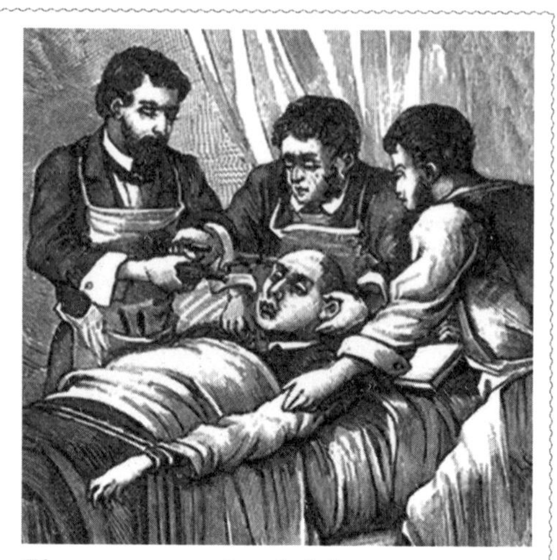

Трепанация тогда проводилась с наркозом, но руки на всякий случай связывали...

Граф Ламберт подал в отставку. (Такие тогда в России были начальники.)

Фатальный пистолет обошелся с невольником чести жестоко. Генералу пришлось стрелять дважды: «первая пуля скользнула по черепу, вторая же пробила лоб, произведя в черепе 11 трещин, и остановилась в затылке». Промучился 19 дней, умер во время хирургической операции.

Страдальцу было сорок два года. Оставил двух дочерей и подростка-сына.

Сын (Александр Александрович) двадцати шести лет от роду застрелился. Как вы уже догадались, из того же пистолета...

Он-то, Герштенцвейг-третий, занимает меня больше всего. О его жизни я знаю очень мало, портрета не нашел, мотивы самоубийства мне неизвестны.

Очень вероятно, что молодой штабс-ротмистр был в чистом виде жертвой зловещего фетишизма. Несомненно, с детства был заворожен страшной фамильной реликвией. Маленькая железка, погубившая отца и деда, должно быть, его одновременно ужасала и притягивала. В конце концов притяжение возобладало.

Впрочем, версия сумасшествия кажется мне не особенно вероятной. Судя по тем фрагментам биографии, которые мне известны, А. А. Герштенцвейг не был человеком психически больным. Закончил Пажеский корпус, вышел в лейб-гвардии Конный полк, с отличием повоевал в Туркестане (модное место для храбрых честолюбцев), в 25 лет стал штабс-ротмистром, то есть был исправным офицером и делал хорошую карьеру.

Несчастная любовь? В 1872 году подобный романтизм, особенно в гвардейском кругу, был уже не в заводе. Эпоха была свежая, реформенная, владыкой мира считался Разум, а не Любовь. Конечно, всё может быть. Другой гвардейский кавалерист, граф Вронский, стреляется из-за любовных терзаний примерно в это время.

Но мне кажется, что тут был какой-то вопрос чести. Судя по всему, Герштенцвейги обладали обостренным чувством собственного достоинства. Вероятно, пример отца и деда подсказал единственно приемлемый выход из некоей невыносимой этической ситуации, а фамильный пистолет нашептал из своего ларца, выдвижного ящика, сейфа (или где там он хранился): «Я — твоя судьба, я для этого здесь и жду». И зов этот оказался настолько сильным, что молодой человек не испугался даже страшной смерти отца.

Северный Часовой

Однажды я прожил короткую, но совершенно отдельную жизнь, которая называлась кругосветным плаванием.

На самом деле ощущение было такое, что это свет плывет вокруг тебя, потому что ты всё находишься в одной точке — сидишь, стоишь, лежишь, а мир демонстрирует себя, дефилирует мимо.

И мир оказался совсем не таким, как я думал раньше. Я-то воображал, что планета Земля — это асфальтовые улицы, поля-леса, ну, там, морской берег (вид из окна отеля). И повсюду люди. То кишмя кишат, то изредка встречаются, но всегда присутствуют.

А на самом деле — теперь я знаю точно и никто меня с этого знания не собьет — наша планета пустая и мокрая. Она состоит из Большой Воды, и лишь кое-где торчат пупырышки суши. Когда плывешь через океан и день за днем не ви-

Надо было назвать планету не «Земля», а «Вода»

дишь вообще ничего, кроме волн и неба, это здорово вправляет мозги.

И еще я насмотрелся на людей, которые живут совсем не так, как мы, а главное, абсолютно не хотят жить, как мы.

Однажды корабль остановился в миле от какого-то маленького острова, и по радио объявили, чтобы все срочно писали письма. Оказывается, жители острова придумали себе отличную кормушку, за счет которой неплохо существуют. Они всего лишь сделали свой почтовый штемпель. И теперь конверты, помеченные этим штемпелем, представляют филателистическую ценность.

Туземцы подгребли к огромному теплоходу на лодке, им скинули бочку, в которой были письма, деньги и дары. Лодчонка подцепила бочку и уплыла. Через какое-то время проштемпелеванные письма уйдут на лодке куда-то, где есть настоящая почта, и оттуда рано или поздно доберутся до адресатов. Этого заработка и такой вот куцей связи с цивилизацией туземцам вполне достаточно. Ну нас к черту с нашими интернетами, телефонами, микроволновками и чипсами.

Я уже который год рассказываю знакомым про удивительный почтовый остров, а тут недавно узнал сюжет еще более поразительный.

Оказывается, на свете есть племя, которое вообще не контактирует с цивилизацией. Никак. А потому что не хочет.

Эти люди живут на острове North Sentinel (Северный Часовой), который относится к Андаманскому архипелагу. Про них практически ничего не известно – кроме того, что всех нас они в гро

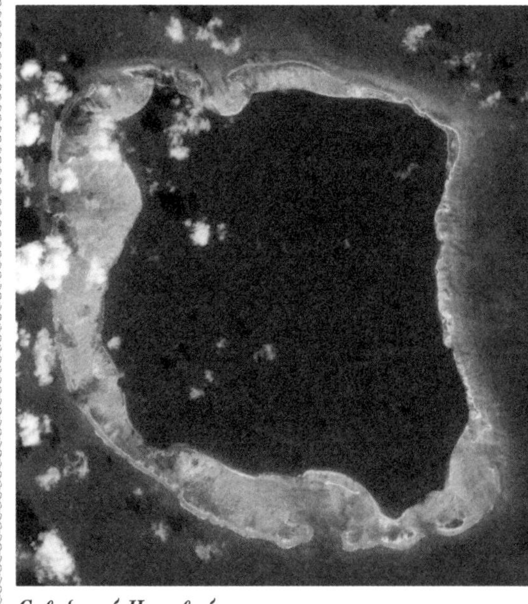

Северный Часовой. Весь покрытый зеленью

бу видали. (И некоторых, кто был слишком навязчив, туда таки отправили.)

Остров открыт европейцами давным-давно, еще в восемнадцатом веке, и если не подвергся колонизации, то лишь потому, что не представлял никакого интереса в смысле наживы, а кроме того, весь окружен рифами – ни подплыть, ни пристать.

В девятнадцатом веке на скалах несколько раз разбивались корабли. Экипажи пытались высадиться на берег, но туземцы встречали их стрелами. Кое-кого и прикончили.

Это очень низкорослые, голые, курчавые люди с выкрашенными в красный цвет носами. Разговаривают на языке, нисколько не похожем на другие андаманские, из чего следует, что они живут изолированно с незапамятных времен.

Один раз, в 1897 году, на остров высадилась полиция, гнавшаяся за беглым каторжником. Нашла его всего утыканного стрелами, с перерезанным горлом, и поскорее убралась восвояси.

Сейчас остров формально принадлежит Индии. Несколько раз антропологи пытались вступить с сентинельцами в контакт: привозили дары, выказывали всяческое дружелюбие.

Туземцы неизменно уходили в лес. От чужаков ничего брать не желали.

В 1991 году один индийский ученый, казалось, вдруг нашел путь к сердцу неприступных аборигенов. Магическим ключом оказались разноцветные пластмассовые ведра.

В течение шести лет удавалось поддерживать очень осторожный, весьма однообразный контакт. Иногда сентинельцы вели себя мирно – то есть забирали ведра. Иногда грозили копьями и показывали задницы. Но близко так ни разу и не подошли.

А потом общение вообще прекратилось.

Туземцы стали стрелять по вертолетам из луков.

В 2006 году убили двух рыбаков, чью лодку течением занесло на остров.

Бог знает, что на дикарей нашло. Может быть, просто решили, что цветных ведер у них уже достаточно.

Поскольку времена сейчас политкорректные, островитян оставили в покое, даже за убийства не покарали. Пусть живут, как хотят.

Вот они и живут. Мы даже не знаем, сколько их. Видимо, несколько сотен.

Я пытаюсь представить, как они там существуют в своем маленьком, до сантиметра изученном мире. Всё, что им нужно, у них есть. А больше они ничего не хотят. Только чтоб их не трогали. Я думал, что так не бывает. Что человек – существо, которому всегда всего мало и одним из главных инстинктов которого является любопытство. Ан нет.

Вот ей-богу, иногда, как мысли черные к тебе придут, начинаешь думать: записаться, что ли, в северные часовые? Встать на посту, никого к себе не подпускать, а кто сунется – стрелами по ним, стрелами.

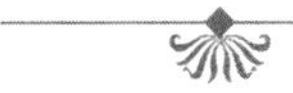

Неспетая песня

Когда я готовился писать книжку «Летающий слон» (об авиаторах Первой мировой войны), у меня собралось множество любопытного материала о русских «летунах», как их тогда называли.

Судьба одного из них вполне тянет на отдельный роман, причем совершенно по моему профилю — из жанра «в эту ночь решили самураи». Уже ясно, что со своей «Историей Российского государства» и прочей мегаломанией романа этого я не напишу, поэтому вот вам неспетая песня моя.

И. Е. Репин.
«Борис Акунин истребляет файлы»

...Братья Терлецкие, Константин (р. 1887) и Лев (р. 1895), были настоящими детьми XX века — больше всего на свете любили технический прогресс. Константин бросил юридический факультет, чтобы поступить в Морской корпус и стать подводником, плавал на неуклюжих страшных субмаринах (про них я как-нибудь тоже напишу), потом стал известным конструктором и создал первую советскую подводную лодку «Декабрист».

Лев посвятил жизнь небу. Он воевал на той кровавой войне, которую сначала именовали «Отечественной», а потом забыли, потому что следующие войны оказались еще ужаснее. Я не нашел его имени в списке российских асов и георгиевских кавалеров, но судя по дальнейшей карьере, это был летчик от бога.

В отличие от старшего брата, он не нашел общего языка с Советами. Служил в Белой армии. Эмигрировал в Америку. С такой, как сказали бы сейчас, остроактуальной специальностью Лев Филиппович сумел найти хорошую работу – в только что созданной авиакомпании «Пан-Американ». И через некоторое время стал самым лучшим ее пилотом. Звали его теперь Leonard или Leo.

Настоящая American dream, а не компания

Любопытная для романиста деталь: судя по воспоминаниями, капитан Leo Terletsky был очень странным человеком. На земле – «настоящий европеец», «само очарование», но в воздухе превращался в истерика, орал на экипаж, никому не давал расслабиться. Один из сослуживцев утверждает, что прославленный пилот до смерти боялся летать. Такие люди есть: их вечно тянет к тому, чего они больше всего страшатся, и очень часто на этом поприще они достигают лучших результатов, чем остальные. (Известно, например, что доблестный воин Генрих Наваррский перед каждым сражением трясся от ужаса, но эта слабость лишь заставляла его искать самые опасные места в бою и приводила к победе.)

Боялся Терлецкий высоты или нет, но он был первым из первых. В 1928 году одержал победу в спортивном перелете Лос-Анджелес–Цинциннати. В 1937 году снова попал в газетные заголовки, когда спас от гибели свой самолет, угодивший в густой туман над Сан-Франциско. Все, кто был на борту, девять пассажиров и восемь членов экипажа (вот

ведь были времена), уже попрощались с жизнью, но капитан сумел посадить самолет на воду.

С 1936 года «Пан-Ам» открыл рейс из США в Китай (см. афишу) через Гавайи, Гуам и Манилу. Выполнял полеты самолет М-130, так называемый «Гавайский клипер», самолет-амфибия, настоящее чудо тогдашней техники.

Командовали такими гидропланами только самые опытные пилоты, а у Терлецкого к тому времени уже было налетано девять тысяч часов.

29 июля 1938 года клипер Терлецкого с пятнадцатью людьми на борту взлетел с Гуама, взял курс на Манилу — и перестал выходить на связь, когда до Филиппин оставался всего час лета. Поиски были долгими и упорными, в них участвовали пятнадцать (!) военных кораблей и даже стратегические бомбардировщики.

Middletown Times Herald

PLANES HUNT FOR PACIFIC CLIPPER

Fuel Exhausted, Officials Sure; Fifteen Aboard

Airliner's Radio Silent 12 Hours; May be Floating

Безрезультатно. Ни следов, ни обломков в океане — ничего.

Пропавший самолет искали не только из-за пятнадцати человек. На борту был секретный груз, о котором не писали газеты: три миллиона долларов наличными для Чан Кайши (это по-современному миллионов сто).

Загадка исчезновения так и осталась нераскрытой.

Возможно, просто случилась авария (хотя погодные условия были терпимые). А может быть, произошло нечто совсем другое. В общем, есть разгуляться где на воле — в смысле, беллетристу.

Версия первая, конечно, — японская разведка. Коварные дети микадо запросто могли сбить самолет, чтобы деньги не достались Гоминьдану. А могли и увести клипер истребителями — чего зря миллионы-то топить. (И в первом, и во втором случае участь Терлецкого и его спутников была бы одинаковой.)

Вторая версия — китайские «триады». Среди пассажиров был некий Чон Ван-сун, владелец манильского ресторана. Ух, подозрительный.

Хорошую версию можно было бы развернуть с самим Лео Терлецким. Командира все обязаны слушаться. Якобы аварийная посадка на заранее присмотренном пустынном острове. А там уже ждет роковая женщина, стюардесса. Потом их видели в Париже, на Вандомской площади у магазина «Картье».

Хотя я бы, наверное, назначил злодеями двух ученых-биологов, которые были среди пассажиров: профессор бактериологии и специалист по патологии растений. А что? Летят себе в уголочке два тихих ботаника, никого не трогают, говорят про цветочки...

Эх, какой роман пропал!

Чон Ван-сун справа. Слева его брат, между прочим, летчик

Глаза хитрые. И обратите внимание на злодейские усики

Аргонавты Белой и Красной мечты

Прочитал любопытнейшую брошюру, изданную в 1933 году в Харбине, – про Якутский поход генерала Пепеляева.

Потом, как водится, провел вдогонку некоторые изыскания, чтобы перепроверить сведения и узнать дальнейшую судьбу действующих лиц. Очень всё это интересно. Ах, какое могло бы получиться кино!

В школе меня учили, что Гражданская война закончилась в октябре 1922 года со взятием Владивостока. Оказывается, это неправда. Последнее сражение завершилось только в марте 1923 года, а последний белый вождь сложил оружие аж в июне.

Дело было так.

Когда стало ясно, что дни белогвардейского Приамурья сочтены и крах неизбежен, самые непримиримые враги советской власти, докатившиеся до крайнего рубежа русской земли, оказались перед тяжелым выбором. Нужно было или сдаваться красным, или уходить на чужбину, где ждали нищета и унижения. Рядовые в основном предпочли первый путь, большая часть командного состава – второй. Однако нашлись особенно упертые, которые решили продолжать борьбу вопреки всему.

Из этих железных людей была создана Сибирская добровольческая дружина, которая замыслила невообразимо рискованный рейд: высадиться на берегу Охотского моря и в канун зимы совершить марш через снега, реки, труднодоступные перевалы вглубь советской территории. Без тыла, без подкреплений, почти без боеприпасов.

Этих безумцев брошюра романтически называет «аргонавтами Белой Мечты». Их золотым руном был Якутск. Взяв этот стратегически важный город, они надеялись взбаламутить всю Восточную Сибирь, измученную большевистскими репрессиями и продотрядами, а потом, в случае успеха, двинуться дальше на запад.

Вообще-то затея была хоть и отчаянная, но не совсем химерическая. Во время Гражданской войны случались и не такие чудеса. Во всяком случае, еще не окрепшей советской власти поход сулил серьезные неприятности.

В экспедицию записались 720 добровольцев. Для пустынных краев, где поселок с десятком домов уже считался солидным населенным пунктом, это была немалая сила. Причем люди всё были штучные, прошедшие огонь и воду. Большинство – офицеры. Вели Дружину три боевых генерала и несколько чинов Генерального штаба. У большевиков же на всю Якутию было тысячи три бойцов, рассредоточенных по гарнизонам на огромном расстоянии друг от друга.

Несмотря на чудовищные природные условия – лютый мороз, метели и бураны, нехватку продовольствия и оленей, – экспедиция сумела пройти больше тысячи километров, пять шестых намеченного пути, почти не встречая сопротивления. Маленькие красные отряды бежали прочь. Большевистская власть нервничала, слала увещевания, сулила полную амнистию. Казалось, повстанцам удалось ухватить только что провозглашенный СССР за его самое незащищенное место.

Вот такой это был поход (фотография из брошюры)

Но в нескольких переходах от Якутска, у зимовья Сасыл-Сысыы, аргонавты Белой Мечты столкнулись с такими же упрямыми аргонавтами Красной Мечты.

Отряд красноармейцев в 300 человек под командованием некоего Ивана Строда не побежал, как другие, а засел в домах и принял бой.

Был кровопролитный штурм. Поселок выстоял.

Ночью белые перехватили донесение, в котором товарищ Строд просил у Якутска срочной помощи, потому что отряд понес огромные потери, а сам он ранен.

Тогда командующий Дружиной генерал-лейтенант Пепеляев отправил парламентера. Предложил сдаться. Строд попросил несколько часов на размышление. Использовал время для рытья окопов — и ответил отказом.

Бои за поселок продолжались восемнадцать дней.

Представьте себе эту картину. Мир белого цвета: белый снег, белые деревья, белые окопы, белые дома, белая морозная дымка. И повсюду красные пятна крови. Других красок нет, только белая и красная.

Пепеляев так и не взял Сасыл-Сысыы. Потерял половину личного состава убитыми, ранеными и обмороженными. Потом якутские власти наконец собрались с силами и прислали отряду Строда подмогу.

Белые аргонавты побрели назад, к океану. Последнее сражение Гражданской войны завершилось 2 марта 1923 года.

Оперсводка штаба войск ЯАССР.

2 марта в 12 ч. дня после упорного боя нашими частями взята д. Амга (слобода). Захвачен штаб ген. Пепеляева со всей секретной, оперативной и личной его перепиской, много вооружения, продовольствия и транспорт. Захвачены 145 пленных пепеляевцев, в том числе полковник Суров. От боев с т. Стродом в Амге наложен полный амбар трупов пепеляевцев. Освобождены наши пленные, взятые в плен 2 февраля.

Врид Комройск ЯАССР *А. Козлов.*

Потом еще три с половиной месяца красные гонялись по всему Дальнему Востоку за разбитой Дружиной. Генерал Пепеляев, оставшийся без продовольствия и патронов, был взят в плен уже летом.

В «Ледяной осаде» (так историки называют бой за зимовье Сасыл-Сысыы) мне интереснее всего главные антагонисты: генерал-лейтенант Пепеляев и краском Строд — люди, которым история доверила исполнить самый последний, по-моему, очень красивый аккорд трагической симфонии под названием «Гражданская война».

Оба были молоды: первому — тридцать один год, второму — двадцать восемь.

Давайте я вам про них немного расскажу.

А. Пепеляев *И. Строд*

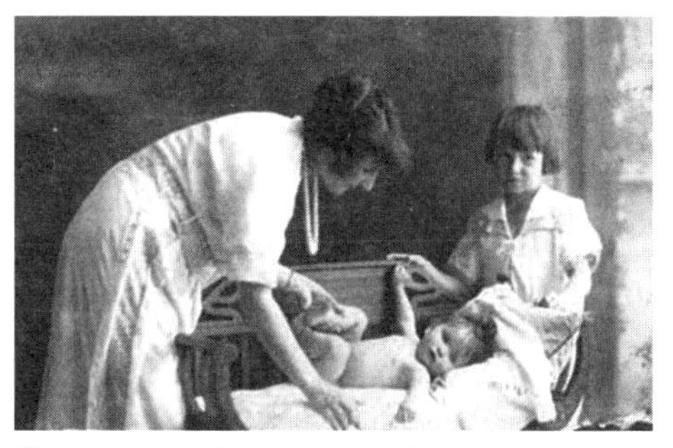

Семья, оставленная генералом

Суд над «аргонавтами»

Анатолий Николаевич Пепеляев был родным братом известного Виктора Пепеляева (1885–1920), колчаковского премьер-министра, расстрелянного вместе с адмиралом.

Храбрый офицер Первой мировой (видите на фото орден Святого Георгия, «Владимира» с мечами и наградную аннинскую саблю?), Анатолий Пепеляев в Гражданскую стал генералом и командовал армией. Известен тем, что, разгромив под Пермью красных и взяв в плен двадцать тысяч человек, никого не расстрелял, а всех отпустил по домам — поступок для той жестокой эпохи неординарный.

К началу Якутского похода Пепеляев давно уже свое отвоевал, жил в эмиграции с любимой женой и двумя маленькими сыновьями. Но когда узнал, что во Владивостоке собираются добровольцы и им нужен командир, оставил благополучный Харбин и вернулся на родину.

Взятому в плен и отданному под суд Пепеляеву повезло. Как раз в это время Советская власть, демонстрируя, что Гражданская война окончена, перестала расстреливать знаменитых белых генералов. Рассчитывала этим внести раскол в ряды эмигрантов. (Так, например, был помилован Слащев-Крым-

Сибирская добровольческая дружина

ский.) Пепеляеву тоже отменили смертный приговор. Посоветовали обратиться с ходатайством к Калинину и дали десять лет тюрьмы.

Продержали за решеткой не десять лет, а тринадцать. Ненадолго выпустили перед самым началом Большого Террора. Ну а дальше – сами понимаете.

Из офицеров Первой мировой был и латыш Иван Яковлевич Строд. Правда, не подполковник, как Пепеляев, а всего лишь прапорщик. Имел четыре Георгиевских креста – большая редкость. Всю Гражданскую провоевал в Сибири, главным образом в партизанских частях. Сначала был анархистом, потом стал большевиком.

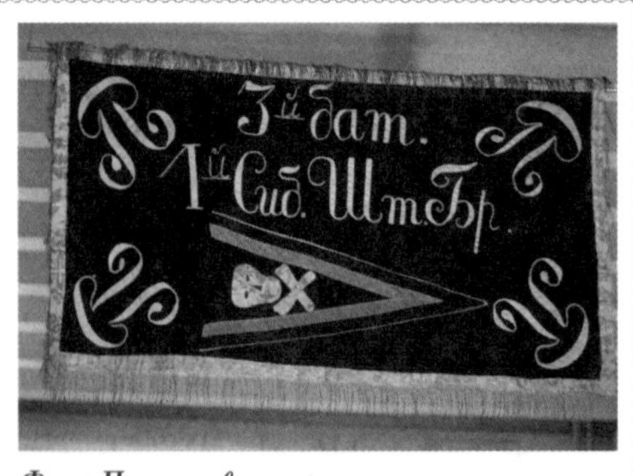

Флаг Пепеляева

В мирное время большой карьеры Строд не сделал, хоть имел целых три ордена Красного Знамени. Работал в Осоавиахиме на не особенно заметной должности. Был расстрелян в 1937-ом – еще раньше, чем Пепеляев.

В Книге Наума сказано: «...и сожгу колесницы твои в дыму, и сгинут от меча твои молодые львы».

Гендерное покаянное

Делюсь впечатлениями от сбора материалов к роману, который будет посвящен теме не весьма оригинальной – отношениям между полами.

Как обычно, я начал с изучения профильной литературы. Читал, делал выписки. Один из файлов называется «Серпентарий». Туда я выписывал яркие примеры межгендерного антагонизма, в частности мизандрические высказывания знаменитых женщин и мизогинические высказывания знаменитых мужчин.

Поразительно то, что мужененавистнических цитат накопилось очень мало, даже радикальные феминистки не особенно разжигают. Максимум – нечто отстраненно-неприязненное, вроде Кэтрин Хэпберн (которая к тому же, вероятно, пошутила): «Иногда мне кажется, что мужчины и женщины не очень подходят друг другу. Может быть, им лучше было бы жить по соседству и иногда заходить друг к дружке в гости».

При этом, положа руку на сердце, следует признать, что женщинам мужчин любить особенно не за что. Мы грубые, упертые, эгоистичные, жестокие, инфантильные. И предатели – обязательно изменим если не с другой женщиной, так с какой-нибудь дурацкой Идеей. А еще мы некрасивые, неаккуратные и тактильно неприятные. Я не перестаю удивляться, как это умные и тонкие существа противоположного пола могут посвящать всю свою жизнь любви к мужчине.

А начитавшись гадостей, которые мужчины пишут про женщин три тысячи лет подряд, я почувствовал, что становлюсь феминистом. И вы сейчас станете.

Давайте поделюсь с вами перлами из своего цитатника. Отбираю только самых что ни на есть почтенных авторов.

Платон: «...Очевидно, что только мужчины являются полноценными людьми и могут надеяться на полную само-

реализацию; женщина же может надеяться лишь на то, чтобы уподобить себя мужчине».

Аристотель: «Природа устроила отношения между мужчиной и женщиной таким образом, что первый выше, а вторая ниже; первый управляет, а вторая повинуется».

Или вот Геродот о персидском обычае не показывать отцам сыновей до пятилетнего возраста: «До той поры мальчик живет с женщинами. Причина такова: если младенец умрет, отец не будет слишком сильно горевать. По-моему, хороший обычай», — заключает историк. А что женские-то чувства беречь?

Священные писания относятся к женщинам примерно так же.

Вот вам Библия:

«Жены, повинуйтесь своим мужьям, как Господу, потому что муж есть глава жены, как и Христос глава Церкви, и Он же Спаситель тела. Но как Церковь повинуется Христу, так и жены своим мужьям во всем» (Послание к Эфесянам, 5:22-24).

И не думайте, что с веками эта позиция поменялась. Реформировавшись, христианство к женщинам не подобрело:

«У мужчины широкая грудь и узкие бедра, а разумения больше, нежели у женщин, — с восхитительной логичностью пишет Мартин Лютер, – ибо у женщин, наоборот, грудь узка, а бедра широки, и потому женщинам надлежит сидеть дома, не возбуждаться, заниматься хозяйством, рожать и взращивать детей».

Интересно, что уже в наши времена эту мудрую мысль почти буквально повторяет светоч религии, оппонирующей христианству, почтенный Хашеми Рафсанджани, кажется, считающийся в Иране либералом: «Различия в росте, жизненной силе, тембре голоса, развитии, мускулистости и физической силе между мужчиной и женщиной демонстрируют, что первый во всех областях лучше и способнее».

Бывший иранский президент, собственно, лишь пересказывает своими словами Коран: «Мужья стоят над женами за то, что Аллах дал одним преимущество перед другими, и за то, что они расходуют из своего имущества. И порядочные женщины – благоговейны, сохраняют тайное в том, что хранит Аллах. А тех, непокорности которых вы боитесь, увещайте и покидайте их на ложах и ударяйте их» (Женщины, 4:34).

Вот еще любимое о некрасивых женщинах от нашего Даниила Заточника: «Жене бо злообразне не достоит бо в зерцало приницати, да не в большую печаль впадет воззревше на нелепостьство лица своего».

Но больше всего меня впечатлило одно простенькое семейное письмецо первого века. Автор-римлянин пишет своей (видимо, любимой) супруге: «Приветствие Илариона его дорогой Алис, а также дорогому Бероусу и Аполлинариону. Мы все еще в Александрии. Не беспокойся, если я задержусь и остальные вернутся раньше. Присмотри за нашим малюткой. Как только со мной расплатятся, вышлю деньги. Если – молю об этом богов – ты благополучно родишь, мальчика оставь, а девочку выбрось. Ты сказала Афродизиасу, чтоб я тебя не забывал. Как я могу забыть тебя? Не волнуйся».

В общем, простите нам, женщины, нашу историческую вину, если можете. Мы не виноваты, нас так воспитывали.

Дура лекс

Мы живем в стране, где беспрестанно изобретаются новые законы, противоречащие то этике, то здравому смыслу. Не буду их все перечислять — сами знаете.

С одной стороны, конечно, тут подтверждается старинная максима Corruptissima republica plurimae leges — «чем коррумпированней республика, тем больше в ней законов». С другой стороны, правда и то, что наш лекс всегда был дурой, начиная с отдаленнейших времен. Потому и население во все времена относилось к законам как к некоей обременительной, но необязательной условности.

«Великих» государей в нашей истории хватает. «Мудрый», увы, был только один. Давно.

Самым разумным законодательным сводом, кажется, так и осталась «Ярославова (она же Русская) правда», руководствовавшаяся принципами рациональности и некровожадности («аще не будеть кто мьстя, то сорок гривен за голову»). Но установления «Русской правды» действовали очень-очень давно, еще в доордынском государстве.

Во времена московского самодержавия (собственно, продолжающегося и поныне) законы вводились по двум соображениям: либо чтоб потрафить государю-батюшке, либо чтоб народишко не забаловал.

Вся судебная система держалась на строгих, часто абсурдных запретах и непомерно жестоких наказаниях. Многочисленные дурацкие табу были нужны для того, чтобы каждого можно было при желании в чем-нибудь уличить и поволочь на расправу. При Алексее Тишайшем за нюханье табака отрезали нос, за игру в шахматы били кнутом, сурово карали тех, кто играл с собакой или глазел на молодой месяц, и так далее, и так далее.

Что другое, а карать всегда умели

Да что оглядываться на семнадцатый век! Еще на моей памяти Уголовный кодекс РСФСР сулил гомосексуалистам тюрьму — просто за то, что они гомосексуалисты, а за обмен валюты (молодежь не поверит) вообще расстреливали.

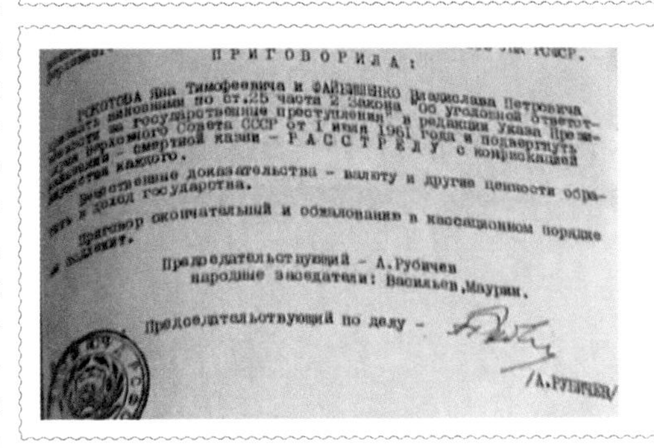

ПРИГОВОРИЛА:

...ОТОВА Яна Тимофеевича и ФАЙБИШЕНКО Владислава Петровича ... виновными по ст.25 часть 2 Закона "Об уголовной ответственности за государственные преступления" в редакции Указа Президиума Верховного Совета СССР от 1 июля 1961 года и подвергнуть ... — смертной казни — РАССТРЕЛУ с конфискацией имущества каждого.

Вещественные доказательства — валюту и другие ценности обратить в доход государства.

Приговор окончательный и обжалованию в кассационном порядке не подлежит.

Председательствующий — А.Рубичев
народные заседатели: Васильев,Маурин.

Председательствующий по делу — /А.РУБИЧЕВ/

Признайтесь, вы подумали, что я это пишу, дабы в очередной раз русофобски обрушиться на многострадальное отечество или национал-предательски оттоптаться на нашей убогой Думе.

А вот и не угадали. Совсем наоборот. Сейчас буду вас утешать. (Так утешала себя Наташа Ростова на балу: «Есть такие же, как мы; есть и хуже нас».) Причем я имею в виду даже не страны, живущие по суровым правилам шариата, а самые что ни есть правовые государства.

Это я проштудировал историю так называемых dumb laws («дурацких законов»). Утешительнейшее чтение! Давно известно: ничто так не повышает самооценку, как лицезрение еще больших идиотов, чем ты сам.

В Британии, оказывается, есть закон, запрещающий кому-либо умирать, находясь в здании Парламента.

Другой закон, в прошлом году отметивший свое семисотлетие и никем не отмененный, запрещает входить в Парламент в доспехах.

Актом государственной измены считается наклеивание марки с ликом монарха вверх ногами.

В городе Йорке местным законодательством разрешается убивать всякого шотландца, который появится в пределах стен с луком и стрелами — впрочем, за исключением воскресного дня.

Во Франции жив закон, запрещающий давать поросятам имя «Наполеон».

Лишь в прошлом году в Париже объявили окончательно устаревшим декрет от 16 брюмера 8 года Республики (1800 г.), запрещавший женщинам ходить в «панталонах» без особого разрешения Префектуры. Перед этим, правда, в 1892 и 1900 годах было сделано исключение для велосипедисток и наездниц, однако вплоть до 2013 года все остальные парижанки, разгуливавшие по улицам в брюках, джинсах, шортах, являлись правонарушительницами.

Преступницы в панталонах

Но больше всего радует страна юристов Америка, где законов напридумано больше, чем во всех остальных государствах вместе взятых, потому что у каждого штата и даже округа есть собственные легислатуры.

В штате Огайо в одном доме нельзя проживать более чем пяти незамужним женщинам.

В Калифорнии закон воспрещает целовать жаб.

Не делайте этого в Калифорнии!

В штате Айова усатым мужчинам нельзя целоваться с женщинами на публике.

Штат Флорида очень понравился бы нашему депутату Мизулиной, потому что там множество ограничений и запретов, касающихся сексуальной жизни — даже перечислять не буду, а то еще дети прочтут. Но больше всего меня потряс флоридский запрет на секс с дикобразами (серьезно). То есть не то чтобы очень хотелось, но как быть с хвалеными свободами?

Однако когда начинаешь вникать, обнаруживается, что некоторые из этих юридических маразмов когда-то имели смысл. Например, большому количеству незамужних женщин запретили селиться под одной крышей, чтобы упразднить нелегальные бордели.

Жаболизание в Калифорнии стало серьезной проблемой, когда среди наркоманов прошел слух, что таким образом можно словить кайф (колорадская жаба действительно секретирует психоактивный буфотенин), – и многие нализались всякой инфекции.

Про целующихся усатых мужчин – черт его знает. Про дикобраза тоже объяснений не нашел. Наверное, кто-нибудь попробовал и сильно укололся.

«Дурацкие законы», существующие в других странах, при всем бесконечном разнообразии, впрочем, имеют одну общую черту: эти запреты были введены когда-то очень давно, а потом их забыли отменить, и уж во всяком случае никому не приходит в голову их применять.

А у нас они все новехонькие, с пылу с жару. И отлично применяются.

Про российское вечное

Фандорин у меня в романе говорит: «Вечная беда России. Всё в ней перепутано. Добро защищают дураки и мерзавцы, злу служат мученики и герои».

В первом варианте текста этому предшествовал рассказ пламенной революционерки мадемуазель Литвиновой о недавней «Якутской истории». Рассказ этот я при редактуре выкинул, потому что длинная вставка ломала композицию и нарушала динамику.

Я, как и Эраст Петрович, считаю, что Хаос (читай: революция) — это плохо, а Порядок (читай: городовой на перекрестке) — это хорошо. И лучше уж плохой порядок, чем «как один умрем в борьбе за это». Но почему же, почему из века в век ответственными за поддержание Порядка в России становятся почти сплошь негодяи? Ведь из-за них, скотов, в конце концов и случаются революции!

Мне все-таки хочется пересказать вам эпизод, не вошедший в роман. Там как раз про героев Хаоса и мерзавцев Порядка. В общем про российское вечное.

Март 1889 года. Первая волна русского революционного движения захлебнулась, в стране торжество реакции. Бывшие народовольцы из тех, кто не убежал за границу, все в Сибири.

В далеком Якутске скопились осужденные, кто приговорен к высылке в края, куда Макар телят не гонял: на Колыму или еще дальше, к полюсу холода. В девятнадцатом веке туда добирались много месяцев. Не то что железных дорог — просто дорог практически не существовало.

В Якутске собрались не каторжные, а ссыльные, то есть те, кто жил без конвоя, по частным домам. Люди обеспеченные вообще прибыли сюда не этапом, а за свой счет. Некоторые приехали с женами, даже с детьми.

Вице-губернатор Осташкин

И вот отзывают прежнего губернатора, а временным назначают вице-губернатора Осташкина. Этому чиновнику ужасно хочется занять освободившуюся должность. Он знает веяния времени: в цене сейчас беспощадность к врагам власти. Знает, что больше всего наверху серчают на «образованных» и на «жидов».

И вице-губернатор отдает распоряжение немедленно, не дожидаясь весны и потепления, отправить к местам отбывания ссылки группу из 33 человек. Все без исключения «образованные». Большинство – евреи.

Вообще-то это верная гибель. По лютому холоду, по безлюдному краю, на обессилевших за зиму оленях ссыльным предстояло преодолеть три тысячи верст. Теплой одежды и провианта в достаточном количестве купить в Якутске было негде, по пути – тем более.

Все приговоренные собираются вот в этом доме (справа на фотографии), где у ссыльных было что-то вроде клуба и библиотеки.

Решают, что раз все равно погибать, то лучше уж здесь. У некоторых есть револьверы, но впоследствии выяснится, что в боевом состоянии только один из них, «смит-вессон», все остальные – бесполезные «лефоше», пуляющие шагов на пятнадцать. Как водится, есть партия рассудительных (ее возглавляет Альберт Гаусман, юрист с двумя университетскими дипломами, самый старый из всех – 28 лет) и партия отчаянных – в ней верховодят бывший бомбист Лев Коган-Бернштейн и дворянин Николай Зотов (тип Рахметова – храбрец, отличный стрелок, в прошлом любитель-змеелов).

Софья Гуревич

Побеждает голос разума. Отправляют Осташкину классический интеллигентский протест.

В ответ вице-губернатор присылает офицера с солдатами. Офицер ведет себя грубо, хватает беременную Софью Гуревич. Ее муж стреляет, не попадает. Мужа убивают на месте. Обезумевшая от ужаса Софья Гуревич бросается на убийц – ей протыкают штыком живот (умрет в больнице).

Тогда огонь открывает серьезный человек Зотов. Подпоручик ранен, один полицейский убит, солдаты ретируются.

Но ненадолго. Вскоре прибывает с подкреплением радостный Осташкин (ух сейчас выслужится!). Зотов выскакивает из дома, стреляет по вице-губернатору. Тот бежит, петляет. Змеелов меткий, но пуля попадает в пуговицу шинели.

А потом начинается побоище. За десять минут солдаты сделали 750 выстрелов. Убили и ранили половину тех, кто находился в доме, в том числе нескольких женщин.

Осажденные пытались сдаться, но каждого, кто выбегал на крыльцо с белым платком, убивали на месте.

Наконец выстрелы стихли. Выживших забрали в тюрьму.

Суд состоялся здесь же, в Якутске. Своеобразный: без адвокатов. Разумеется, без прессы. Можно было не церемониться – государь-император заранее начертал собственной рукой резолюцию: «Необходимо примерно наказать».

Примерно наказали. Всем дали каторжные работы, а троих – Зотова, Когана и Гаусмана приговорили к повешению. Последнего – за то, что замучил тюремную администрацию своими юридическими штучками и качанием прав. Не спасло законника даже то, что он при обороне не брал в руки оружия, отказываясь стрелять в подневольных солдат.

Два дня перед казнью Зотов провел с невестой, Гаусман и Коган – с семьями. В воспоминаниях читаю: «Шестилетняя, умная девочка Надя, дочь Гаусмана, забавлялась с отцом и вероятно не подозревала о страшном смысле этих

Л. Коган Н. Зотов А. Гаусман

последних часов жизни. Отец не подавал виду о своих ощущениях. Смеялся, беседовал с своей любимицей и любовался на нее».

Когана несли к виселице на носилках, потому что у него пулей были перебиты обе ноги. Так и повесили. Гаусман и Зотов надели на себя петли сами.

В связи с этой историей Марк Твен (не революционер и вообще человек мирный) написал: «Если нынешнее российское правительство можно свергнуть только при помощи динамита, то слава богу, что на свете есть динамит!»

А через шесть лет, когда задули иные политические ветры, «Якутское дело» было пересмотрено, приговор отменен, всех выживших освободили. Нормальная такая российская последовательность событий.

Зато у Осташкина всё сложилось очень славно. В награду за усердие он при скромном чине надворного советника получил-таки якутское губернаторство. А потому что молодец и не рассусоливал.

Правда, в 1905 году его, кажется, все-таки прикончили — то ли за прежние достижения, то ли за новые. Это, впрочем, несущественно.

Существенно то, что читаешь о нравах и обычаях наших нынешних лагерей и думаешь: как же они исправно воспроизводятся, эти надворные советники. И нет им переводу.

Свечное сало и пушечное мясо

Эпоха императора Наполеона считается временем романтическим. Исторические романы и фильмы, стихи про кавалергардов, чей век недолог, и про очаровательных франтов, чьи широкие шинели напоминали паруса, Андрей Болконский с веселым маршалом Неем и графиня Валевска с мадам Ленорман, а пуще всего волшебная сказка о маленьком артиллерийском поручике морочат всем нам голову вот уже несколько поколений.

Ослепительный взлет Корсиканца достиг высшей точки в 1810 году, когда вся континентальная Европа была ему подвластна, монархи считали честью состоять в его свите, а самый высокородный из них, император австрийский, отдал за выскочку свою юную и нежную дочь Марию-Луизу. Сияние этой свадьбы озарило своими огнями не только Париж, но и весь мир.

Парижская иллюминация

Кое-что пикантное об этих дивных огнях сообщает медицинский журнал «Lancette» столетней давности. Тайна, на целый век закупоренная в судебных архивах города Парижа, раскрылась, когда все, кто мог ей ужаснуться, давно умерли.

Оказывается, знаменитая иллюминация, залившая светом Париж по случаю августейшей свадьбы Наполеона Первого, была несколько людоедского свойства.

Некий служитель анатомического кабинета при медицинской школе (туда свозились невостребованные трупы из всех госпиталей) долгое время приторговывал человеческим жиром. Поскольку, как пишет журнал, человеческое сало «недостаточно плотное и жидковатое», экспериментатор смешивал его со свиным и бараньим. Получался неплохой смазочный материал, а свечной так просто отменный. Свечное сало для той эпохи было таким же ходовым и жизненно необходимым товаром, как сегодня электричество.

Следствие, произведенное в 1813 году, с ужасом установило, что светильниками именно из этого сырья в вечер свадьбы были иллюминированы Люксембургский дворец, берег Сены и правительственные здания. Полиция так напугалась своего открытия, что засекретила данные. Семь тонн арестованного товара были тайно вывезены и зарыты за городской чертой.

А по-моему, зря они это. Получилось очень складно: главный поставщик пушечного мяса рассекал да зажигал при свете человеческого сала.

С любимыми не расслабляйтесь!

Не столь давно, проходя мимо бубнящего телевизора, я минут на десять погрузился в душераздирающую историю семейного скандала.

В студии все самозабвенно обсуждали развод какой-то неизвестной мне, но, видимо, звездной четы, которая никак не могла поделить имущество и что-то там еще, я толком не вник. Показывали и самих супругов. Не знаю, кто из них ангел, а кто диавол, осталось лишь общее ощущение поединка двух саблезубых хищников. Малейшая оплошность одной стороны вызывала немедленный удар когтистой лапы: не подставляйся, лузер! А подставился — пеняй на себя.

Эти высокие отношения по не вполне очевидной ассоциации напомнили мне поучительную историю из журнала

Till death do us part

«Тэтлер», издававшегося известным остроумцем Ричардом Стилом (1672–1729) и, кажется, существующего под тем же названием поныне.

Выглядело гламурное издание начала 18 века вот так:

В рубрике с незатейливым названием «From my own Apartment» (запись от 26 апреля 1710 года) Стил рассказывает один эпизод времен английской революции.

Некий капрал попал в плен к врагам. «А поскольку враждующие Стороны пребывали в таких Отношениях, что почитали захваченных Неприятелей не Пленниками, а Изменниками и Мятежниками, бедный Капрал был приговорен к Смерти, вследствие чего написал Письмо своей Супруге, ожидая неминуемой Казни, – рассказывает Стил с присущей эпохе витиеватостью. – Писал он в Четверг, казнить его должны были в Пятницу, однако, рассчитав, что Супруга получит Депешу не ранее Субботы,\...\Капрал изложил События в прошедшем Времени, что безусловно вносит некоторую Путаницу в Стиль, однако, учитывая Обстоятельства, Читатель простит Беднягу».

Письмо, отправленное как бы уже с того света, выглядело так:

Дорогая Жена,

Надеюсь, что ты в добром Здравии, как и я в Миг Написания. Сим сообщаю тебе, что Вчера, меж Одиннадцатью и Двенадца-

тью Часами, я был повешен и четвертован. Умер я, должным образом покаявшись, и Все сочли мое Поведение очень мужественным. Помяни меня добрым Словом моим беднъм осиротевшим Детям.

Твой до Смерти

В.Б.

Назавтра после отправки горестного письма капрала отбили однополчане, и он остался жив. Следующей же почтой воин поспешил обрадовать жену известием о своем спасении, однако оказалось, что за минувшие пару дней вдова успела вступить в новый брак. Судебный иск был безнадежен: в качестве доказательства своей юридической свободы дама располагала документом, который столь неосторожно послал ей расслабившийся муж.

Короче, отвечай за базар: повешен — значит повешен.

Из файла «Привычки милой старины»: Покаянное

Должен повиниться. Фраза, долго украшавшая черно-белые фандоринские обложки («Памяти эпохи, когда преступления совершались и раскрывались с изяществом и вкусом») — бессовестный рекламный обман.

Говорю это как человек, пролопативший страницы уголовной хроники русских газет, начиная с 1860-х годов (ранее в России то ли вообще не было преступности, то ли цензура не разрешала публиковать криминальные новости).

Никакого изящества и вкуса в убийствах той эпохи нет. Обычное тупое зверство, часто бессмысленное и почти всегда пьяное. Газетные отчеты о душегубах «России, которую мы потеряли» вызывают тоску и отвращение.

Изысканные злодеи XIX века

Случай № 1. Убийство в Сокольниках

(Из «Московских губернских ведомостей» от 10 июля 1871 г.)

В Сокольничьей роще обнаружен труп молодого человека, «по-видимому, из простонародья», со следами удушения. На след убийц полиция вышла наиболее часто встречающимся в хрониках образом: один из преступников спьяну проболтался в трактире.

Взяли голубчиков на Хитровке. Запираться никто не стал. Убийство не планировалось, всё вышло как-то само собой. Сидели под кустиком, выпивали с новым знакомым, таким же вором, как остальные. Кончились деньги, а у мужика хорошие сапоги да неплохая поддевка. Перемигнулись, накинулись гурьбой, удавили собутыльника его же портянкой. Поддевку и сапоги продали на толкучке, выручили 8 рублей, которые тут же и пропили.

Элементарно, Ватсон.

И всё время повторяется одно и то же: инфантильная неспособность понять что-то, кроме сиюминутного шкурного интереса, без особенной заботы о последствиях. При этом не надо думать, что подобная одноклеточность присуща только людям «из простонародья».

Случай № 2.
Кровавая драма в приличном семействе

(«Петербургская газета» от 31 марта 1902 г.)

Судят юношу, некоего Александра Карра, который зарубил топором мать и двух сестер.

Причины у мальчика имелись, и пресерьезные. Он познакомился в танцклассе с барышней, в которую влюбился,

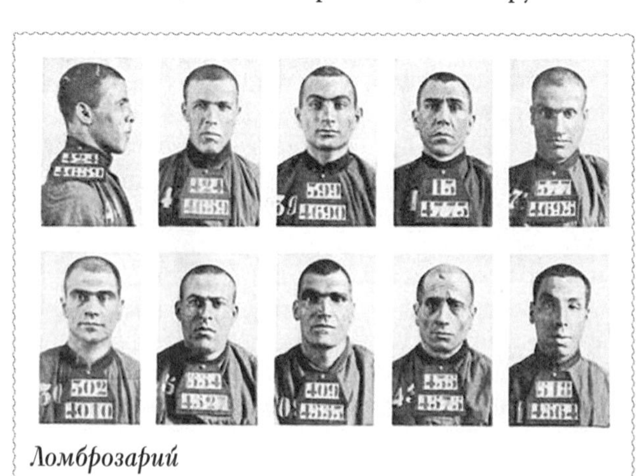

Ломброзарий

а денег на приличное ухаживание нет, дома выдают на карманные расходы по гривеннику в день. «Думаю: отравлю я стариков, стану свободен, получу наследство и женюсь. Добыл стрихнину и прежде, для пробы, дал собаке. Она так мучилась перед смертью, что я, представляя себе муки стариков, пожалел их и выбросил яд». Жалостливый юноша решил поступить проще — взял дома деньги тайком. Купил барышне часы и кольца, а себе портсигар и пальто. Мать обнаружила пропажу, устроила скандал. Пригрозила гневом отца. Сашенька перепугался, схватил колун... Сестры на свою беду были дома — не оставлять же свидетелей. Порешил заодно и сестренок.

Сыщикам молодой человек наплел какую-то белиберду про нищего, якобы ворвавшегося в дом, но при первых же вопросах запутался и признался.

Случай № 3. Широк человек

(Из «Московских губернских ведомостей» от 30 декабря 1891 г.)

В чайной Ашихмина, что в Апраксином переулке, произошло кровавое преступление. В отсутствие хозяина убили его жену, двухлетнюю дочь и девочку-няню. Головы всех трех жертв были размозжены утюгом. В живых остался только грудной ребенок.

Утром убитых обнаружил Лука Шамов, двадцатилетний конторщик хозяина, живший у него на положении приемного сына и пользовавшийся полным доверием. «Хилый, с анемичным лицом субъект, на верхней губе чуть-чуть показывается редкий волос, выражение глаз неуловимое, но крайне неприятное», — ябедничает про него газета.

Лука поднял крик, с окровавленным, но живым младенцем на руках выбежал к людям и в дальнейшем вел себя так эмоционально и натурально, что ни в ком не вызвал подозрений. (На самом деле, разумеется, всех порешил именно конторщик «с неприятно-неуловимым взглядом» — из-за 236 рублей и банковского билета, а сильную сцену с окровавленным младенцем он спланировал заранее).

Вернулся из отлучки хозяин. Зарыдал, обнял Луку и сказал: слава Богу, хоть ты у меня остался. От этих слов убийца

Главные орудия убийства «изящного века»

покачнулся и бросился в ноги Ашихмину с криком: «Прости меня, окаянного, Иван Павлыч!»

Совершенно смердяковская, очень русская история. Достоевскому она бы понравилась. Здесь больше всего потрясает не гнусное злодейство, а то, что даже у такого выродка, оказывается, есть душа и как-то всё это уживается в одном человеке. Но, согласитесь, и этот сюжет представляет интерес не с криминальной, а с психологической точки зрения.

«Святые люди»

Думаю, что многие, подобно мне, понимающе усмехались, читая, как Лиля Брик откликнулась на солженицынский рассказ о чекистских палачах: «Боже мой! А ведь для нас тогда чекисты были — святые люди!»

Надо же, цаца какая, должно быть, подумали вы. Чекистов она, видите ли, святыми считала. Врет и не краснеет, старая бесстыдница.

Ладно. Лиля Брик мучила бедного Маяковского, много о себе понимала и обладала кошачьей живучестью. За это мы ее дружно не любим, доверия ей никакого нет.

Но вот натыкаюсь в дневниках Дмитрия Фурманова на любопытный пассаж. Пролетарский литератор записывает впечатления от разговора с Бабелем:

«...Потом [он] говорил, что хочет писать большую повесть про ЧК.

— Только не знаю, справлюсь ли — очень уж я однобоко думаю о ЧК. И это оттого, что чекисты, которых знаю, ну... ну, просто святые люди, даже те, что собственноручно расстреливали... И опасаюсь, не получилось бы приторно. А другой стороны не знаю».

Бабель не Лиля Брик. Бабеля мы любим. Он написал одесские рассказы и был репрессирован. Чего это он тоже запел про «святых людей»?

Оно конечно, Исаак Эммануилович был человек хитрый и даже циничный.

(Не удержусь, уклонюсь от темы — приведу еще одну цитатку из дневника Фурманова. Как Бабель вешал лапшу на уши доверчивому литначальнику, трогательно лелеевшему свое скромное дарование.

Фурманов пишет: «Это золотые россыпи, — заявил он мне. — „Чапаев“ у меня настольная книга. Я искренне считаю,

Такие лица у обоих, вероятно, и были во время этого разговора

что из гражданской войны ничего подобного еще не было. И нет.\...\Вы сделали, можно сказать, литературную глупость: открыли свою сокровищницу всем, кому охота, сказали щедро: бери! Это роскошество. Так нельзя». Свой рассказ простодушный Фурманов заключает словами: «Простились с Б. радушно. Видимо, установятся хорошие отношения. Он пока что очень мне по сердцу».)

Мог, конечно, Бабель правоверному большевику и про чекистов на голубом глазу подсюсюкнуть. Смущает термин, точь-в-точь повторенный Лилей Брик сорок лет спустя. Похоже, что в кругу этих ярких, злоязыких и, мягко говоря, неглупых людей подобное определение было в ходу. Не думаю, что в ироническом контексте, и вряд ли из страха перед стукачами. Времена (середина двадцатых) были пока еще относительно нестрашные. Мне кажется, что Бабель и вообще литбратия действительно считали чекистов святыми.

Справа — ЧК, где «вывели в расход» одесскую легенду

Ужасом и восхищением пронизан рассказ Бабеля «Фроим Грач». Там, кто не помнит, описано, как 23-летний рыцарь революции Симен, председатель одесской ЧК, в минуту, безо всякого разбирательства, поставил к стенке легендарного налетчика, пришедшего к нему просто «поговорить по-человечески». Во втором чекисте, следователе Боровом, легко угадывается сам автор. Этот маленький рассказ многое объясняет и про «святость», и про пиетет по отношению к чекистам.

Симен говорит потрясенному расправой Боровому: «Ответь мне как чекист, ответь мне как революционер — зачем нужен этот человек в будущем обществе?» «Не знаю, — Боровой не двигался и смотрел прямо перед собой, — наверное, не нужен...»

Но самое страшное, на мой взгляд, не это, а следующие два предложения, которыми заканчивается рассказ:

«Он [Боровой] сделал усилие и прогнал от себя воспоминания. Потом, оживившись, он снова начал рассказывать чекистам, приехавшим из Москвы, о жизни Фройма Грача, об изворотливости его, неуловимости, о презрении к ближнему, все эти удивительные истории, отошедшие в прошлое...»

В этом для меня весь Бабель: «*потом, оживившись*»...

Бог с ним, с несчастным Бабелем. Во-первых, он дорого заплатил за свою очарованность стальными людьми, а во-вторых, я сейчас пишу не про литераторов, а про «святых чекистов».

Тут всё очень непросто. Мы можем сколько угодно потешаться над советскими фильмами про гражданскую войну, ненавидеть картавых ильичей и железных феликсов, но что правда, то правда: большевики первых лет революции, во всяком случае многие из них, были бессребрениками и аскетами, безжалостными не только к врагам, но и к себе. Если б они думали о собственном брюхе, то не удержали бы власть и не победили бы своих опытных и мужественных противников. Победить в гражданской войне возможно, только если за тобой идет народ. А народ в час испытаний идет лишь за теми, кто вызывает уважительное изумление абсолютной верой, бесстрашием, самоотверженностью: за пророками, подвижниками и святыми.

Вот они, «святые люди» Лили Юрьевны и Исаака Эммануиловича

И я стал думать, что, поскольку мироустройство дихотомично и на всякий Ян сыщется свой Инь, в черной половине бытия тоже должна иметься своя агио-иерархия. У Дьявола (если вас раздражает мистицизм – у Зла) обязательно есть собственные святые разного ранга. Они обладают тем же набором замечательных качеств, что и святые Добра: бескорыстны, несгибаемы, с пламенем на устах и пылающим углем в груди. Они столь же сильно воздействуют на умы и души – в особенности художнические, потому что люди искусства падки на демоническое и фактурный Воланд их завораживает больше, чем тихий Иешуа.

Святыми Зла, вероятно, были Друг Народа Марат и Неподкупный Робеспьер, которые во имя великой идеи Свободы-Равенства-Братства истребили тысячи несознательных соотечественников. Из той же породы, мне кажется, и Дзержинский. По свидетельству встречавшихся с ним людей, он был чрезвычайно скромен в обиходе, безжалостен к себе, отнюдь не жесток, но то, что творила его Чрезвычайка во имя светлого будущего, не поддается описанию.

В ЧК ленинского периода (и, шире, в партии) деятелей, подобных Дзержинскому и бабелевскому товарищу Симену,

Рыцарь революции. *И рыцарственное обхождение с «классово чуждыми» дамами*

было много. Их электричество заставило содрогнуться весь мир, породило не только новые формы диктатуры, но и новые формы искусства, чуткого ко всякой сильной энергетике.

Потом, конечно, на смену «святым людям» пришла прагматическая и цепкая генерация сталиноидов. Этим заканчивается всякая революция. Я могу точно назвать дату, когда время большевистского аскетизма официально завершилось: 9 февраля 1932 года секретным постановлением Политбюро был отменен «партмаксимум», мешавший советскому чиновничеству радоваться жизни. Всё встало на свои места. Зло стало довольствоваться услугами несвятых порученцев, которые в конце концов разменяли большевистский драйв на партзарплаты «в конвертах», персональные пайки и спецдачи.

Святые рыцари Зла, впрочем, в мире не перевелись. Просто они сменили одни доспехи на другие. Именно к этой категории относятся современные террористы: фанатики, которые во имя Идеи (не имеет значения, какой именно) взрывают себя вместе с ни в чем не повинными людьми.

Святые от Дьявола – это подвижники Идеи, которая *больше человека.* Вот признак, по которому безошибочно определяется черный цвет нимба.

У святого со стороны Добра никакая, даже самая распрекрасная идея не может быть больше человека. И никогда святой от Добра не пожертвует ради Идеи жизнью другого – только своей собственной.

Кролик. Белый Кролик

Некоторое время назад, выйдя из библиотеки Британского музея и еще не вполне выкарабкавшись из параллельной реальности, я вдруг увидел на одной из соседних улиц интригующую мемориальную доску.

«Подполковник авиации Ф.Ф.Э. Йео-Томас, кавалер Георгиевского креста (1902–1964), секретный агент по кличке «Белый Кролик», жил здесь».

Разумеется, я немедленно полез в карман за волшебной палочкой-выручалочкой, погуглил и вычитал, что Форрест Йео-Томас был прототипом Джеймса Бонда. Ян Флеминг придумал своего агента 007, следя за приключениями «Белого Кролика».

Ныне, прочитав две биографии Йео-Томаса, я знаю о нем гораздо больше, чем в свое время знал Флеминг.

Вот вам не сказка про белого бычка, а быль про Белого Кролика.

Этот человек, англичанин по крови и подданству, вырос во Франции и был совершенно двуязычным. Первая черта его сходства с Бондом — любовь к приключениям.

Во время Первой мировой он рвался на фронт, но ни британцы, ни французы подростка в армию не брали, и он, неполных шестнадцати лет, обманув доверчивых янки, записался добровольцем в американские войска. Война скоро закончилась, и ненавоевавшийся юный Йео-Томас волонтером Американского Легиона (военизированной ветеранской организации) отправился спасать новорожденную Польшу от большевистской угрозы. Во время буденновского рейда, под Житомиром, попал в советский плен. Парня хотели расстрелять как агента Антанты, но он (ничего себе) заду-

Bond. James Bond

Rabbit. White Rabbit

шил караульного красноармейца, бежал и долго — через Балканы и Турцию — добирался домой.

Вторая черта, позаимствованная Флемингом у бондовского прототипа, — гламурность.

В период между войнами Форрест Йео-Томас работал в известном парижском доме моды «Эдвард Молино»: расчудесно одевался, катался на красивых авто и вообще ни в чем себе не отказывал.

Как-то примерно так выглядела эта жизнь в стиле Арт-Деко.

Была у Форреста еще одна характеристика, роднящая его с Бондом. Этот модник был превосходным спортсменом – увлекался боксом. Приятная во всех отношениях жизнь англо-французского бонвивана закончилась, когда грянула Вторая Мировая.

Йео-Томас записался в Королевские ВВС, но к полетам его не допустили – возраст был уже к сорока. Тогда Форрест нашел себе еще более опасную службу: в Управлении Специальных Операций (УСО) – организации, созданной для диверсий и шпионажа в германском тылу. Йео-Томас с его родным французским и знанием всех регионов Франции, которые он объездил за годы своего коммивояжерства, идеально подходил для такой работы.

В это время союзники уже начинали готовить небывалую по сложности операцию – высадку на континент через двойную преграду: Ла-Манш и мощный Атлантический вал. Успех десанта в значительной степени зависел от того, сумеют ли французские партизаны и подпольщики в день «Д» дезорганизовать германский тыл.

В 1943 году французские резистанты были разделены на множество отдельно существовавших организаций и ячеек – без связи, без вооружения, без технических средств.

Руководители этих подпольных центров один за другим гибли, как мотыльки: дилетанты не могли противостоять профессионалам из СД.

УСО взялось за невероятную трудную задачу: превратить броуновское движение Сопротивления в единый фронт.

Белый Кролик стал одним из главных координаторов этого процесса. Он трижды летал во Францию, миря и сводя левых с правыми, партизан с городскими подпольщиками, сторонников генерала де Голля со сторонниками генерала Жиро (был у де Голля такой соперник, ныне почти забытый, а тогда очень популярный).

Жизнь оккупированного Парижа

В качестве нелегала БК был, конечно, героем, но не в большей степени, чем другие агенты: рисковал, выскальзывал из засад, спасал товарищей. Однажды застрелил слишком прилипчивого гестаповского шпика. В другой раз спасся, потому что изображал покойника в похоронном катафалке — очень кинематографично. От прочих координаторов его, пожалуй, отличала лишь приверженность к щегольству (элегантные шляпы-костюмы, поездки первым классом) да удивительная непотопляемость. БК был хладнокровен и осторожен, благодаря чему продержался невероятно долго. Стал лично известен Черчиллю и де Голлю — но и гестаповцам, которые устроили на шустрого английского кролика настоящую охоту.

В конце концов (в марте 1944 года) Кролик попался. Его обложили со всех сторон, и один из связных выдал, испугался пыток. Взяли англичанина очень грамотно, как Брэда Питта в фильме «Бесславные ублюдки»: налетели впятером, свалили, прижали. Йео-Томас не успел воспользоваться ни цианистым калием в перстне, ни хитрым sleeve gun (прообразом бондовских технических гаджетов).

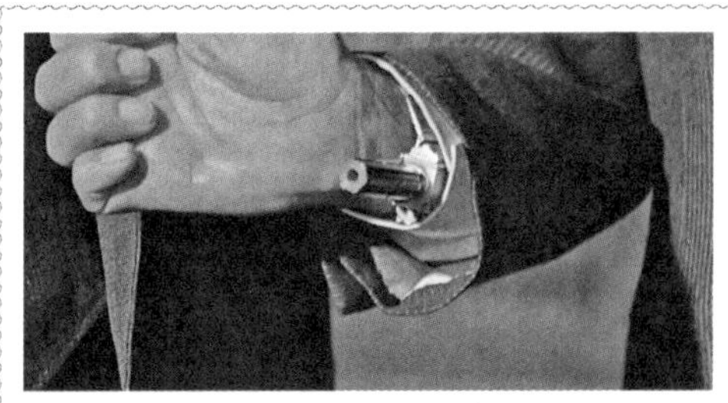

Пистолет в рукаве: разработка техников британского УСО

Sleeve-gun Кролику не помог бы, а вот о перстне в последующие дни он горько пожалел. Настоящий, поразительный героизм Йео-Томас проявил, оказавшись в немецком застенке.

С этим джентльменом гестаповцы обращались совсем не по-джентльменски. Они пытали его несколько суток, по всей своей гнусной научной методе. Например, топили в ванне – и потом возвращали к жизни при помощи искусственного дыхания. И так шесть раз подряд. Молотили дубинками по месту, о котором джентльмены вслух не говорят. Не давали спать. Подвешивали за наручники (потом чуть не началась гангрена). И так далее.

Нужно было продержаться достаточно времени, чтобы товарищи догадались о провале и очистили явочные квартиры. Когда палачи уставали, Белый Кролик думал, что всё, больше он не выдержит, на следующем же допросе расколется. Но начинался новый раунд истязаний, и просыпалось чугунное британское упрямство. БК никого и ничего не выдал. Поняв, что время упущено, гестаповцы отступились.

Когда узника перевозили из тюрьмы в тюрьму, охранник неплотно запер бокс – и Кролик совсем не по-кроличьи набросился на эсэсовца, отобрал автомат. Он сбежал бы, но другие арестанты испугались и скрутили смельчака. Жив он остался только потому, что охранник побоялся доложить начальству о своей небрежности.

В отличие от ветреного Бонда к сорока годам Форрест перестал ухлестывать за красотками, потому что встретил женщину, которую полюбил. Она осталась в Англии, и, ожидая смерти, Кролик думал только о том, как бы передать ей весточку.

Так он при жизни превратился в легенду. Потому что использовал всякую возможность, чтобы послать своей Барбаре записку. То бросал ее из «автозака» под ноги дорожным рабочим. То передавал «нормальным» английским военнопленным, у которых сохранялось право переписки. То еще что-нибудь придумывал.

Поразительно, но большинство этих писем доходили до адресата. Барбара сообщала о перемещениях своего возлюбленного в УСО, а там в это время работал молодой разведчик Ян Флеминг – и завороженно следил за невероятными скачками Белого Кролика.

Сначала записки приходили из парижской тюрьмы. Потом из компьеньской тюрьмы. Потом из Бухенвальда (Йео-Томас, кажется, первым сообщил миру об этом чудовищном лагере смерти). Потом из разных частей Германии.

Капитан второго ранга Флеминг

Дело в том, что БК и в Бухенвальде остался собой.

Он создал подпольную организацию и устроил массовый побег. Из двадцати смельчаков десять погибли, но остальные десять ушли, в том числе везучий Форрест.

Он прошел через всю Германию и попался уже перед самой линией фронта. Снова угодил в лагерь. Снова бежал. И в апреле 1945 года вышел-таки к своим. Вернее, его вынесли на руках те, кто бежал вместе с ним и не захотел его бросить.

Остаться Джеймсом Бондом и в бухенвальдском аду — вот настоящий подвиг

Это он шутит. А скоро умрет

В песенке про зайчика, который вышел погулять, поется: «Принесли его домой — оказался он живой». Но Белый Кролик после пыток и лишений остался не живой, а полуживой. Это кинематографическому агенту 007 всё как с гуся вода, а у человека из плоти и крови есть определенный ресурс здоровья, не безграничный.

После войны Форрест Йео-Томас постоянно болел, чувствовал себя всё хуже, хуже и умер, не дожив до старости.

Не очень похоже на легенду о неуязвимом и блистательном супермене, правда?

Белая Мышь

А теперь, после Белого Кролика, — про Белую Мышь.

Это Нэнси Уэйк, самая знаменитая агент-женщина того же самого британского УСО (Управления специальных операций) — пожалуй, даже более знаменитая, чем Форрест Йео-Томас. Мышь поймать труднее, чем кролика, потому что она юркая, шмыгнет в щель — и пропала. А вреда от мыши гораздо больше.

Нэнси Уэйк в самом деле нанесла фашистам вреда еще больше, чем героический Йео-Томас, да и поймать они ее не поймали. То есть поймали, но... Нет, не буду забегать вперед.

Вообще-то Нэнси была не британкой, а австралийкой. Природная непоседливость и адреналиновый голод с юных лет не давали ей сидеть на месте. Она перебралась из скучной Австралии в интересную Америку, а оттуда в еще более интересную Европу, перепробовала несколько профессий и остановилась на журналистике. В 30-е годы это было рискованное ремесло.

Нэнси была европейским корреспондентом пресс-империи Херста, писала репортажи о набирающем силу нацизме. Удачно вышла замуж — по любви, за богатого, довольно молодого и притом очень славного человека (бывают же на свете завидные женихи).

Когда Францию оккупировали немцы, Нэнси стала активной участницей Сопротивления. Гестапо много месяцев не могло выйти на ее след. За голову неуловимой подпольщицы была объявлена награда в пять миллионов франков.

Однажды в Тулузе Мышка все-таки угодила в мышеловку, но находчивость и присутствие духа помогли ей выскользнуть. Ее мужу повезло меньше. Его схватили, пытали, но он не выдал жену, и немцы его убили – я же говорю, это был очень хороший человек. Нэнси ушла через Пиренеи в Испанию и узнала о смерти своего Эдмона только после войны.

Из Франции эта бесстрашная женщина бежала не для того, чтобы отсиживаться в нейтральной стране. Она добралась до Англии, поступила на службу в УСО, прошла курс спецподготовки, проявив большие способности к стрельбе и рукопашному бою.

Весной 1944 года Уэйк была заброшена на парашюте в овернские леса, чтобы установить связь с партизанской бригадой. Командир маки обнаружил Нэнси свисающей с дерева (зацепились парашютные стропы) и галантно сказал: «Ах, если бы все деревья приносили столь великолепные плоды!» Нэнси не любила, когда мужчины с ней разговаривали в подобном тоне, и ответила грубо: «Только давайте без вашей французской хрени!»

Капитан Н. Уэйк

Очень скоро партизаны узнали, что мадам Белая Мышь даст сто очков вперед любому мужику. Один из ее боевых соратников рассказывал: «Нэнси – самая женственная из женщин, пока не началась драка. Тогда она стоит пятерых мужчин».

Уэйк стала одним из командиров целой партизанской армии в семь с половиной тысяч бойцов. Перед высадкой в Нормандии эта группировка оттянула на себя немецкие войска втрое большей численности. Нэнси участвовала в диверсиях, боевых действиях, опасных операциях. В ней не было совсем ничего дамского. Однажды она убила ударом по горлу немецкого часового. В другой раз, когда поймали вражескую шпионку, молоденькую девицу, и никто из мужчин не решался ее застрелить, шпионку прикончила Нэнси, хладнокровно. Она не была белокрылым ангелом, о нет. Она была Белой Мышью.

Когда война закончилась, железной леди было 33 года. Высшие награды Великобритании, Франции, Соединенных

Штатов не помещались у нее на груди. Ни в одной союзной армии не было военнослужащих-женщин с таким количеством регалий. Военного креста — почетнейшего из французских боевых орденов — Нэнси была удостоена аж трижды (кажется, единственная в истории).

Нэнси Уэйк со своими наградами

После войны Нэнси прожила еще два раза по 33 года и умерла совсем недавно, в 2011 году. Ничего интересного на протяжении последних двух третей жизни с ней не произошло. Послужила в разведке, но в мирное время карьера не задалась — видимо, оказалось маловато адреналина. Попыталась стать депутатом — не выбрали. Снова вышла замуж. Мужа пережила, детей не имела. Успела посмотреть целых два телесериала, снятых про ее приключения.

Доживала свой долгий век в лондонском доме ветеранов. Любила джин с тоником. Тихо угасла.

Кадр из фильма про Белую Мышь

В одном из интервью, уже через много лет после войны, призналась, что совершенно не жалеет о застреленной когда-то девушке. Про убитого ребром ладони часового рассказывала: «Хрясь! — и он труп. Я прямо удивилась!»

Гвозди бы делать из этих мышей.

Самый ловкий пират всех времен и народов

Прямо стыдно, как это я его прошляпил, а ведь, собирая материал для романа «Сокол и Ласточка», проштудировал всю историю мирового пиратства.

На родине, в городе Сен-Мало, корсара чтут, почти как в СССР товарища Ленина. Есть даже колледж имени Дюгэ-Труэна

Меня интересовал вопрос: кто был абсолютным чемпионом среди морских грабителей — по ловкости и удачливости? Как и все, я, разумеется, знал про Генри Моргана, в конце концов ставшего вице-губернатором Ямайки, но решил, что он уступает Рене Дюгэ-Труэну (1673–1736), дослужившемуся до должности командующего флотом Короля-Солнце. К этому убеждению — что Дюгэ-Труэн самый-рассамый — я пришел, прочитав про знаменитый рейд 1711 года. Этот поразительный сюжет я и решил забрать к себе в роман, приписав эскападу вымышленному капитану Пратту.

На самом деле это произошло не в придуманном мной Сан-Диего, а во вполне реальном Рио-де-Жанейро. Всё остальное — правда. Идея Дюгэ-Труэна была гениальной по простоте и эффективности, да к тому же нисколько не кровожадной.

Но, оказывается, был грабитель еще более ловкий. Екскюзэ-муа, мон капитэн. Пальма первенства уходит к другому.

Серьезные пираты годами плавали по морям не из любви к приключениям, а потому что никак не могли накопить

Капитан Эвери, с виду приличный такой мужчина

достаточно денег, чтобы оставить эту дьявольски опасную профессию. Мало кому удавалось по-настоящему разбогатеть, но и этого было мало. Даже нахапав сокровищ, удачливый пират не мог взять и удалиться на покой. Его преследовали враги, мстители, охотники за золотом, ну и, конечно, мылил веревку суровый, но справедливый Закон.

А капитан Генри Эвери (1659 – *после* 1696), мелькнув в истории пиратства головокружительной кометой, виртуозно выполнил обе трудные задачи: не только сорвал рекордный куш, но и ушел от бабушки, от дедушки, от лисы – от всех. Вы ведь обратили внимание на странность в годе его смерти? На этой детали мы еще остановимся.

Подобно капитану Флинту из сериала «Черные паруса» (если не смотрели – зря), Эвери начинал морским офицером и свернул на кривую дорожку в не юном уже возрасте, по не зависящим от него обстоятельствам. Команда корабля «Карл II», на котором он служил первым лейтенантом (по-нашему старшим помощником) взбунтовалась из-за задержки жалованья. Выбор у лейтенанта Эвери был такой: либо отправляться за борт, либо стать капитаном пиратов. Он выбрал второе.

Корабль сменил «королевское» имя на фартовое – стал называться «Fancy» («Причуда») – и занялся лихим ремеслом, которое сулило либо смерть в бою, либо виселицу.

Долго заниматься этим рискованным промыслом Эвери, впрочем, не планировал. Он некоторое время, очень недолго, поболтался в восточных морях, выбирая макси-

Император Аурангзеб Великий

мально аппетитную цель, и нашел ее. Затеял (как и Флинт) предприятие неслыханной дерзости.

Капитану стало известно, что из Индии в Мекку отправляется морской караван с паломниками, придворными Великого Могола, богатейшего владыки тогдашнего мира. На главном корабле, огромном «Гандж-и-Саваи», повезут несметные сокровища для оплаты дорожных расходов и для даров мусульманским святыням. Поплывет там и принцесса — не то дочь, не то внучка могущественного падишаха Аурангзеба (источники сообщают то так, то этак).

Флот насчитывал 25 вымпелов. На 80-пушечном флагмане плыло больше тысячи человек — это был самый большой корабль во всем Индийском океане. Подобные хаджи совершались и прежде, но никому из пиратов никогда и в голову не приходило покуситься на такую армаду.

А капитан Эвери решил попробовать. Он собрал эскадру из пяти средних и маленьких судов; общее число разбойников было вдвое меньше команды одного «Ганджа».

Черт знает, как удалось капитану Эвери осуществить этот полоумный замысел. В растянувшемся на несколько дней сумбурном бою почти все остальные пиратские корабли погибли, но индийский караван разбросало по морским просторам, и в конце концов «Причуда» оказалась тет-а-тет с плавучей сокровищницей. Уверен, что случайность тут ни при чем — Эвери следовал какому-то хитрому плану. Полагаю, что своих соратников он намеренно использовал для распыления вражеских сил и обрек на гибель. Чтоб потом не пришлось делиться.

Хотя без сумасшедшего везения тоже не обошлось.

Сначала, первым же залпом, «Причуда» сбила «Ганджу» грот-мачту, полностью его обездвижив. Потом, вследствие другого феноменально удачного попадания, у индийца взорвался один из зарядных ящиков, и защитников охватила паника.

В общем, приз был взят.

Как я уже сказал, это была рекордная добыча за всю историю пиратских войн: по нынешнему денежному эквиваленту не меньше 100 миллионов долларов.

На этом короткая разбойничья карьера капитана Эвери и завершилась. Известно, что он добрался на своем корабле до Карибского моря, которое в ту эпоху называли «пиратским»; что объегорил команду, забрав себе львиную часть добычи (две трети или даже три четверти). Начиная с 1696 года следы Генри Эвери теряются. Больше никаких достоверных фактов нет, одни домыслы, легенды и версии. За славой этот человек не гнался, мемуаров не оставил.

Сменил имя. Жил себе где-то, поживал. Добра, наверное, не наживал, потому что куда ему еще-то?

Эх, жалко, поздно он мне попался. Люблю таких пройдох. Не в жизни, конечно (упаси боже), а в литературном смысле.

От меня Генри Эвери, получается, тоже ушел.

С побежденными, особенно женщинами, пираты обошлись свирепо.
На картинке изображен Эвери, врывающийся в покои бедной принцессы.
Некоторые авторы пишут, что он на ней женился, но это сказки. Плохо он с ней поступил. Пират потому что

Амигдала

Недавно я прочитал интереснейшую статью в журнале «Current Biology» про одну американку, у которой начисто отсутствует чувство страха.

То есть вообще ноль целых ноль десятых. Ученые обвешали ее датчиками, пугали-пугали всеми способами, на которые хватало воображения, – никаких отрицательных эмоций. Отправили удивительную женщину на специальную экскурсию в знаменитый хоррор-аттракцион «Санаторий Уэверли-Хиллз» в штате Кентукки. Это заброшенный чахоточный санаторий с нехорошей репутацией, где для любителей острых ощущений разработана целая программа с оптическими и акустическими эффектами, артистами-призраками и прочими кошмарами. Кто видел сериал

Ночная прогулка по нехорошему санаторию

«Охотники за привидениями», должен знать эту локацию, она использована в нескольких эпизодах.

Храбрая дама, вся обвешанная датчиками, ни на миг не утратила хладнокровия и даже напугала одного из «призраков», решив его пощупать. Остальные участники экскурсии, обычные люди, при этом визжали от ужаса и просились наружу.

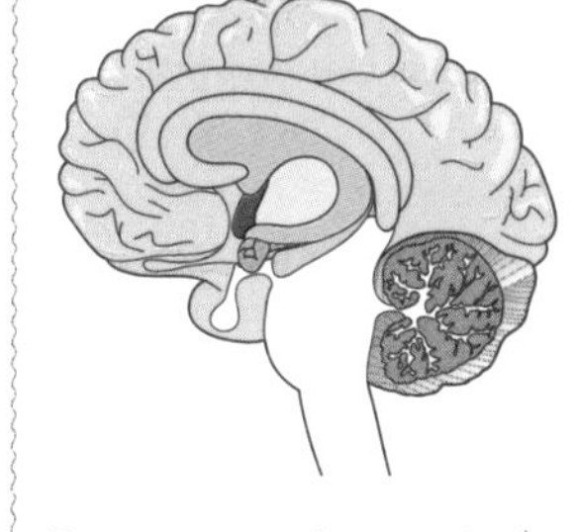

Вот этот оранжевый пупырышек

Причина бесстрашия нашей американки была сугубо медицинская. В мозгу есть миндалевидный закуточек, который называется амигдала. Именно он отвечает за формирование страха.

При редкой болезни Урбаха-Вите случается совсем уже редкое осложнение, в результате которого амигдала атрофируется. Именно это с несчастной (или, наоборот, счастливой?) американкой и произошло.

Иногда такой опыт ставят над животными. Удалят мыши амигдалу, и она начинает наскакивать на кошку.

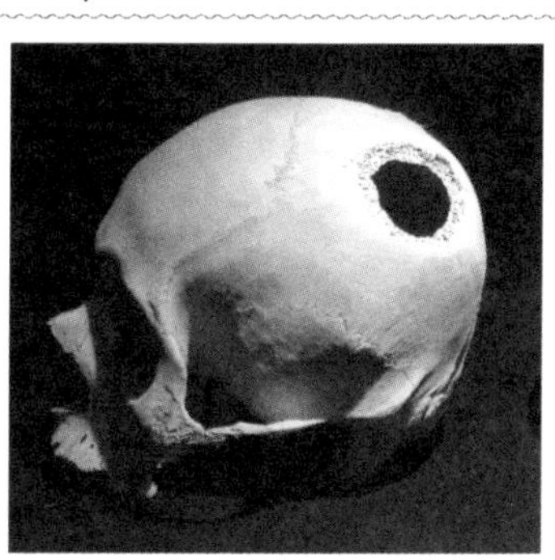

Череп древнего перуанца со следами трепанаций

А древние инки, как я где-то читал, владели начатками нейрохирургии и умели делать воинам в голове дырку, от которой те становились неустрашимыми. Не иначе достукивались до амигдалы.

Мне в память врезался один разговор с Егором Гайдаром. Он рассказал, что в их роду у мужчин аномалия: они вообще не понимают, что такое — чувство страха. Таким был дед Аркадий Голиков, таким был отец, адмирал Тимур Гайдар, и Егор Тимурович унаследовал эту странность. Я-то всегда, по внешности и манере говорить, воспринимал нашего реформатора как мямлика-интеллигента и даже когда-то изобразил его таким в одном рассказике. Но это потому, что во время написания я еще не был знаком с Егором Гайдаром. На самом деле он был в определенном смысле человеком железным — мне рассказывали люди, наблюдавшие его в разных пиковых ситуациях. Я его спрашиваю: «Неужели вы совсем-со-

всем ничего не боитесь?» «Только одной вещи. Но очень сильно, — говорит. — Ядерной войны». (Тогда это показалось мне смешным — время ядерных противостояний, по моему разумению, ушло в прошлое. Сегодня, когда у нас снова начинают стращать бусурман атомными ракетами, я бы смеяться уже не стал... Ладно, я сейчас не про политику, а про биогенератор страха.)

Пытаюсь представить себе, каково это — жить вообще без страхов. Хотел бы я так или нет?

Первый порыв, конечно, ответить: да, очень хотел бы!

Страх — ужасно противное чувство.

У Толстого замечательно описано, как Николай Ростов празднует труса, убегая от французов: «Одно нераздельное чувство страха за свою молодую, счастливую жизнь владело всем его существом. Быстро перепрыгивая через межи, с тою стремительностью, с которою он бегал, играя в горелки, он летел по полю, изредка оборачивая свое бледное, доброе, молодое лицо, и холод ужаса пробегал по его спине».

Должно быть, поручик Толстой знал это состояние не понаслышке — оно впечатляюще описано и в «Севастопольских рассказах».

А сколько недостойных поступков и подлостей совершается от страха, сколько ломается судеб.

Сейчас бросит пистолет и побежит

Нет, решено. Удалите мне амигдалу, пожалуйста. Хочу ничего не бояться. Вообще ничего. Как пел Высоцкий: «Я не люблю себя, когда я трушу».

С другой стороны... Всем наверняка в жизни приходилось делать что-то *через* страх.

У меня одно из ранних воспоминаний, как мы во дворе зачем-то затеяли прыгать с крыши гаража. Мне было, наверное, лет шесть-семь. Как обычно, нашелся кто-то бесшабашный, а за ним полезли остальные, и я в том числе. Сверху вниз посмотрел — ужас, оцепенение. Особенно когда мой приятель, более смелый, чем я, прыгнул, подвернул ногу и завопил от боли. А я — следующий. Снизу девочки смотрят (они умнее нас, дураков, — не полезли). Прыгнул, конечно. Куда деваться? И впервые в жизни испытал чувство победы — самой драгоценной из побед, победы над собой. Может, не такая уж это была глупость — прыгать с крыши гаража.

Зачем нужен страх с биологической точки зрения, понятно — срабатывает инстинкт самосохранения. Но страх необходим и для развития личности. Страх нужен затем, чтобы у тебя было что побеждать. Смелость — это не бесстрашие, а умение побеждать амигдалу. Трусость — наоборот. Когда амигдала побеждает тебя.

Страх, гадина такая, очень извивист и живуч. Справишься с одним — обязательно вылупится новый. При этом в каждом возрасте свои страхи.

По мере приближения старости происходит некоторая переориентация амигдалы. Она перестает так остро реагировать на мысли о смерти. Во-первых, из-за физиологии — постепенно демобилизуется жизненная энергия. Во-вторых, по причинам психологическим. Родители, старшие друзья, а затем и сверстники постепенно переселяются в мир иной. Своих *там* становится всё больше, они заселяют и обживают потустороннее пространство, делая его менее жутким. Они зовут оттуда старика, ждут его, а здесь всё мало-помалу становится ему чужим, непонятным, неинтересным.

В старости у женщины обычно ослабевает мучительный страх быть непривлекательной, нежеланной. Зачем, если всё уже было, всё уже состоялось?

У мужчин ослабевает соревновательность, исчезает честолюбие. (Это вообще-то один из непременных атрибутов мудрости.)

Ну а у человека моей профессии, если он относится к ней всерьез, по-японски, как к Пути, есть свой специфический страх. Я много раз слышал от коллег-писателей, находящихся в творческом кризисе, боязливые речи, что волшебное состояние полета никогда больше не вернется. Некоторые, бывает, с перепугу и в запой уходят.

Допустим, у меня несколько иная писательская специальность — я беллетрист. Мне полеты ни к чему, я строю архитектурные конструкции снизу вверх — так высоко, как умею. Но и это занятие страшноватое.

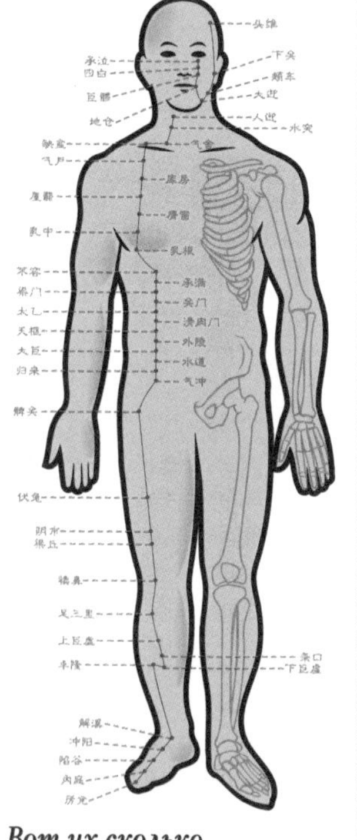

Вот их сколько, китайских точек

Расскажу в этой связи одну историю.

У меня долго болело некое место на позвоночнике, никак не проходило. Ужасно мешало жить. Я даже начал ходить с тростью, как дешевый пижон. В конце концов пошел к одной французской врачихе с китайским дипломом. Она пощупала меня, полистала какой-то фолиант и говорит: «Это у вас болит точка, которая называется Страх Неудачи. Хотите я вам ее вообще уберу? Что-то она у вас очень уж чувствительна».

Я подумал-подумал и отказался. Невозможно написать живую книгу, если не вибрируешь от страха, что у тебя ни черта не получится. Даже если это просто детектив. Врачиха сказала: «Тогда могу передвинуть точку в другое место, под лопатку. Ходьбе мешать не будет». Поколдовала там чего-то, помяла, пальцем потыкала, и спина прошла. А Страх Неудачи остался.

И что бы я был без этого страха?

Нет, хочу бояться и радоваться победе над страхом.

Не троньте мою амигдалу.

Истребление мужчин

Войны делятся на две категории.

Первая – войны зверские, преступные. Там убивают мирное население, не щадят женщин, стариков и детей. Вторая категория – так называемые цивилизованные войны, которые ведутся «по правилам». Это означает, что убивают только военных, а если под пулю или бомбу попадают штатские или женщины с детьми, то это ненарочно.

В связи с изучением походов Чингисхана я углубился в жуткую, но захватывающую материю – сравнительную статистику потерь в ходе самых кровопролитных войн человеческой истории...

(Не могу удержаться, сделаю маленькое отступление. А вы знаете, что Руси во время монгольского нашествия, можно сказать, страшно повезло? Как раз накануне Великого Западного похода Батухана монголы сильно поумнели. Раньше на чужих землях они резали всех подряд, кто поценнее – угоняли в рабство. А тут мудрые китайские советники подсказали, что покоренные народы выгодней не уничтожать поголовно, а облагать данью и поборами. Зачем резать курицу, несущую яйца? Мысль показалась монголам необычной, но интересной. Поэтому Русь во время страшных событий 1237–1240 годов потеряла – по разным оценкам – «всего» от 5 до 8 процентов населения. Могла же вообще превратиться в пустыню, как, например, цветущее Хорезмское царство двадцатью годами ранее. И не было бы сегодня никакой России.)

Но возвращаюсь к предмету. Как со мной часто бывает, начав читать книжки по нужной теме, я от нее довольно далеко укатился.

От истории геноцидов (уничтожение целого народа) перешел к истории андроцидов (уничтожение только мужчин). Меня заинтересовал вопрос: на какой из войн погибло больше всего мужчин, причем мужчин вооруженных, то есть не жертв, а активных участников побоища? Есть теория, согласно которой войны — нечто вроде эпидемий, время от времени поражающих психику «сильной» половины человечества и побуждающих ее к самоистреблению. Так вот: какой из этих патологических всплесков был самым радикальным?

Вы, наверное, предположите, что наибольший процент мужчин потеряли СССР или Германия во время Второй мировой войны.

И ошибетесь.

Наихудший, ни с чем не сравнимый андроцид произошел в ходе одной локальной, никому у нас не интересной войны девятнадцатого века — между Парагваем и коалицией Бразилии, Аргентины, Уругвая.

Не буду утомлять вас изложением причины и подробностей этого странного конфликта. Странного — потому что маленький Парагвай (чуть больше полумиллиона человек) сам бросил вызов трем странам, суммарное население которых было по крайней мере в двадцать раз больше.

Эль президенте

Виновником кровопролития был парагвайский наследственный президент Франсиско Солано Лопес (1827–1870).

Этот толстячок в 18 лет был генералом, в 28 лет вице-президентом, а после папиной смерти стал полновластным диктатором. С началом войны он еще назначил себя и маршалом, а как же без этого.

Не думайте, пожалуйста, что это была какая-то латиноамериканская оперетка: сомбреро, пампасы, мустанги. Война шла современная — с тяжелой артиллерией, инженерно-фортификационными сооружениями и броненосными эскадрами. Солдаты гибли сотнями тысяч.

У полоумного диктатора не было ни одного шанса на победу, но он упорно бился до тех пор, пока в стране вообще оставались мужчины. Представителей сильного пола забирали в армию всех поголовно. Когда кончились взрослые, Ло-

Всё в дыму, поле завалено трупами

пес стал отправлять на фронт мальчиков. Под самый занавес уже и восьмилетних. Для солидности и устрашения врага им прицепляли фальшивые бороды.

В конце концов Лопес погиб в бою, но, к сожалению, слишком поздно — через шесть лет после начала войны.

За эти годы лишились жизни — внимание! — девяносто процентов парагвайских мужчин. В момент заключения мира их осталось только 28 тысяч. Включая младенцев.

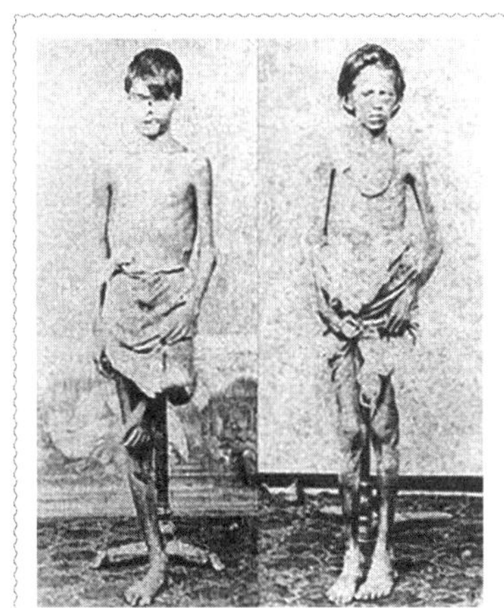

Парагвайские рекруты последнего этапа войны

Эх, пораньше бы (смерть Солано Лопеса)

Парагвай надолго превратился в страну женщин. Даже на рубеже XX века, то есть тридцать лет спустя, женского населения здесь было в семь или восемь раз больше, чем мужского, и поэтому широко практиковалась полигамия.

Мужчин, конечно, жалко, но еще жальче женщин. Зачем только природа вынуждает их, таких добрых, разумных, милосердных, иметь дело с нами, идиотами.

P. S. Между прочим, в Парагвае кровавый маньяк Лопес считается главным национальным героем. Что-то это мне напоминает...

Пантеон героев

Дворец Лопеса

Чертовски удобная штука

Когда-то на уроках истории меня учили, что Римская империя, а вслед за ней многие раннесредневековые европейские государства приняли христианство из сугубо прагматических соображений.

«Вертикально выстроенная» религия с одним Всевышним наверху; идея смирения перед земной властью, которая всегда от Бога; контроль над душами подданных через дисциплинированную структуру духовенства — всё это как нельзя лучше подходило для нужд централизованного управления. Этой логикой руководствовались и восточные владыки, принявшие ислам, азиатскую разновидность, в сущности, той же системы верований.

Ни в коей мере не отрицая огромную роль веры и церкви в духовном и культурном развитии цивилизации, думаю, что насчет потребительского отношения власти к религии мои марксистско-ленинские преподаватели были правы.

В отличие от буддизма, иудаизма или конфуцианства, которые делают упор на индивидуальном развитии, две главные исторические конфессии, построенные на принципе «меньше суеумствовать и больше доверять начальству», во все времена вызывали у властей предержащих соблазн прибрать этот эффективный инструмент к рукам.

Оставим в стороне «старую» историю, когда многие монархи были по-настоящему религиозны. Возьмем примеры из недавнего времени — и таких властителей, которые заведомо ни в какого Господа Бога не верили: Сталина и Гитлера. Эти политические антагонисты были оба изначально враждебны церкви, потому что не хотели делиться властью над душами ни с какой другой инстанцией. И оба в

Речь патриарха на похоронах Усатого: «Упразднилась сила великая, нравственная, общественная...» Особенно «нравственная»

трудный момент поняли, какая чертовски удобная штука институализированная религия.

Про то, как Сталин в 1943 году сделал резкий вираж от репрессий против духовенства к его прикармливанию, вы и без меня знаете. Великий вождь поманил – и стосковавшаяся по одобрению начальства РПЦ с восторгом кинулась в объятья «власти безбожников». Можно было бы сослаться на войну и патриотизм, но верноподданный пыл церковников ведь не померк и после Победы.

Ладно, не буду про Сталина и РПЦ – это факты общеизвестные.

Лучше расскажу, как покровительствовал «правильным религиям» на оккупированных территориях Гитлер.

В 1941 году, пока нацисты рассчитывали на блицкриг, нелепые верования «недочеловеков» фюрера не интересовали. Но когда стало ясно, что война будет затяжной, а в тылу зашевелились партизаны, курс по отношению к церкви переменился.

Солдатам вермахта на их фашистских «политинформациях» стали разъяснять, что православие – религия полезная, ибо учит туземцев покорности начальству, и поэтому священников трогать ни в коем случае нельзя.

Рядом с «властью от Бога»

Среди духовенства нашлось множество коллаборационистов. Православную церковь на «освобожденных территориях» возглавил митрополит Сергий (Воскресенский), до войны – управделами Московской патриархии.

В церквях шли молебны за фюрера, с амвона предавали проклятью партизан, а церковные газетенки печатали отвратительную антисемитскую пропаганду.

В конце концов митрополита Сергия убили при не вполне понятных обстоятельствах. В апреле 1944 года на литовском шоссе неизвестные в немецкой форме обогнали автомобиль иерарха и изрешетили из автоматов всех, кто там сидел, а заодно убрали и случайную свидетельницу. Неизвестно, кто это сделал: партизаны, агенты НКВД, прибалтийские националисты или германские спецслужбы. Тайна осталась нераскрытой.

С исламом получилось еще интересней. Следуя древнему принципу «разделяй и властвуй», нацисты всячески старались настроить малые народы Советского Союза против русских. С особой галантерейностью немцы обрабатывали горцев, поскольку прорываться к каспийской нефти предстояло через Кавказ и враждебность местного населения могла бы сильно затруднить продвижение войск.

Последователь Пророка в чем-то папахообразном

Муллам любить советскую власть было не за что. Часть мусульманского духовенства, прельщенная немецкими посулами, стала молиться за победу германского оружия. Безбожник и гяур Гитлер был провозглашен великим имамом Кавказа.

В ноябре 1942 года, когда немецкое выступление на юге выдыхалось, командующий 1-й танковой армии Фридрих-Август-Эберхардт фон Макензен даже принял ислам. Уж не знаю, подвергся ли он при этом обрезанию. А что такого? Для дела-то.

Диктаторы — черт бы с ними, такая уж у них циничная работа. Но хороши церковники. Если искренняя вера и чертовщина вещи абсолютно несовместные, то церковь и чертовщина — запросто. Черти заводятся под сводами храма всякий раз, когда церковь начинает становиться частью государства и руководствоваться его сиюминутными потребностями.

Порнократия

Ужасно понравилось слово. Оно означает «Правление шлюх».

Я наткнулся на этот чудесный термин, которого раньше, к своему стыду, не знал, изучая историю X века.

Pornocrazia – период в истории христианской церкви, когда Святейший Престол погряз в неописуемой коррупции и отвратительном разврате. Авторитет духовной и светской власти в Риме был втоптан в грязь, престиж религии пал так низко, что казалось, ей уже не возродиться.

В это время Вечным Городом правила патрицианская семья Теофилактов, назначавшая пап по собственной прихоти. Двенадцать понтификов, один мерзее другого, сменили друг друга, прежде чем закончилась эта вакханалия. На протяжении шестидесяти лет четыре поколения Семьи открыто торговали церковными должностями, предавались всевозможным порокам и извращениям, убивали неугодных – и проделывали всё это, никого и ничего не стесняясь. Близ папского престола и раньше свершалось немало злодейств, но никогда еще власть не вела себя с таким поразительным бесстыдством.

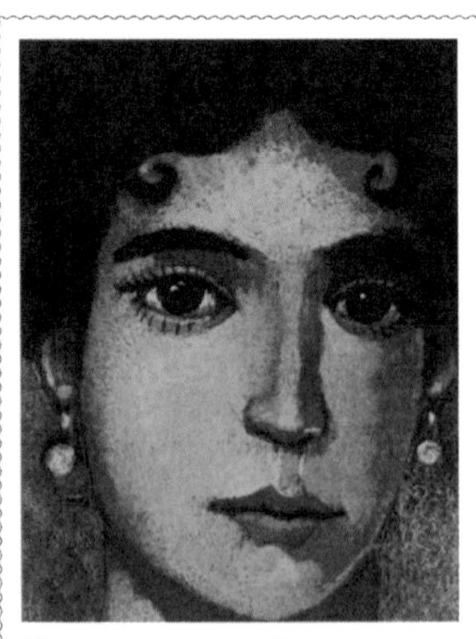

Пап много, она одна

Главная звезда эпохи – красавица Марозия: любовница Сергия III и Льва VI, убийца Иоанна X, мать Иоанна XI и бабка Иоанна XII.

Эта дама, наградившая себя небывалыми прежде

титулами патриции и сенатриссы, была свергнута и посажена в темницу собственным сыном.

В конце концов от бесконтрольности порнократический режим дошел до окончательного маразма и сам себя угробил. Внук Марозии был провозглашен папой в восемнадцатилетнем (по некоторым источникам даже в шестнадцатилетнем) возрасте под именем Иоанна XII. Милый юноша превратил папский дворец в самый настоящий бордель, где постоянно проживали сотни блудниц. В этот гарем входили собственные сестры его святейшества.

Даже сан епископа можно было приобрести — однажды князем церкви сделали десятилетнего мальчика. Молиться папа не любил, бравировал богохульствами, а нрав имел обидчивый. Своего духовника, например, велел ослепить. Вице-канцлера, находившегося в кардинальском звании, приказал кастрировать, а потом прикончить.

Сильно же надо было истаскаться, чтобы так выглядеть в 27 лет

Преставился Иоанн XII в двадцатисемилетнем возрасте, во время прелюбодейственных упражнений — согласно преданию, его прикончил муж-рогоносец.

На этом впечатляющем аккорде Порнократия закончилась. Римская церковь начала зализывать раны и потихоньку восстанавливать загубленную репутацию. На это ушли долгие годы.

Хороший термин, ей-богу.

Другая оккупация

Как во время войны вели себя фашисты на советской территории – известно.

Пожалуй, самое отвратительное в истории оккупации то, что степень жесткости в обращении с местным населением определялась на высшем государственном уровне и тщательно дозировалась в соответствии с расовой теорией и политической целесообразностью. Методы, считавшиеся «нормальными» в Восточной Европе – на Украине или в Белоруссии (сожжение деревень, массовые казни, угон молодежи в рабство), в Европе Центральной применялись лишь в исключительных случаях, в Западной и Северной – почти никогда. Ранжирование наций по «качеству» было частью фашистской идеологии.

В этом отношении примечательна относительно малоизвестная страница войны: захват немцами Англо-Нормандского архипелага в проливе Ла-Манш.

В городе Сент-Хельере, столице острова Джерси

Джерси, Гернси и еще несколько островов, расположенные вблизи французского берега, стали единственной частью Британии, которая была оккупирована гитлеровцами. Около ста тысяч англичан целых пять лет (с июля 1940 до мая 1945) прожили под германским управлением.

Это сосуществование протекало – во всяком случае с нашей точки зрения – в условиях поистине экзотических.

Немцы вели себя на островах выше всяких похвал. Всё очень культурно, вежливо, необременительно для населения. Худшее из зверств, причинившее джерсийцам и гернсийцам тяжкие страдания, – замена дорожного движения с левостороннего на правостороннее.

Местная администрация продолжала работать на своих местах, на улицах поддерживали порядок британские бобби в своих знаменитых шлемах.

Учтивые немецкие солдаты держались сущими джентльменами.

Конечно, когда война закончилась, появился и перечень немецких преступлений. Но по сравнению с тем, как юберменши вели себя в других странах, всё выглядит очень скромно.

Жертв оккупации набралось 5 (пять): двое агитаторов-антифашистов были арестованы и умерли в тюрьме; трех евреек депортировали в Освенцим.

Причины фашистской галантности секретом не являлись. Во-первых, фюрер сильно уважал британцев, считал эту нацию почти равной немцам. Во-вторых, рейху было очень важно сделать из Англо-Нормандских островов образцово-показательную «витрину» – чтобы остальные англичане поняли: ничего такого уж ужасного в «Новом Порядке» нет.

Особенно поразили меня некоторые подробности оккупации Сарка.

Это крохотный остров, население которого в ту пору составляло менее пятисот человек.

Сарк: пять с половиной квадратных километров пастбищ и скал

Слева он, снятый сверху.

Несмотря на размер, Сарк считался отдельным государством, глава которого («Сеньор» или «Дама», в зависимости от пола) был непосредственным вассалом британского монарха. Так повелось еще со времен Елизаветы I.

Владетель острова по традиции пользовался некоторыми феодальными правами: например, ему единственному разрешалось разводить голубей и держать дома невыхолощенных псов. Другими привилегиями к середине XX века саркские сеньоры с дамами, кажется, уже не обладали.

3 июля 1940 года два немецких майора с солдатами высадились на островке, чтобы объявить его зоной германской оккупации. Офицеров пригласили пожаловать к Даме Сибил-Мэри Коллингс-Бомон-Хэтауэй, 21-й владетельнице Сарка (правила с 1927 по 1974 г.).

Вот как выглядела эта удивительная беседа

Строгая пожилая леди начала с того, что попросила представителей Вермахта немедленно удалиться, поскольку государство Сарк не объявляло войны Германскому Рейху.

Сконфуженные офицеры уплыли обратно и послали запрос в министерство иностранных дел Риббентропу: как быть? Когда же остров все-таки был оккупирован, дама Хэтауэй заявила, что по законам острова здесь можно пользоваться только конной тягой, употребление автомобилей и мотоциклов строжайше запрещено – и немцы не посмели спорить.

Так же смирно они вели себя на Сарке до самого конца войны.

Дама острова Сарк на склоне лет с королевским (каким же еще?) пуделем. Поди, невыхолощенным

10 мая 1945 года дама Хэтауэй приняла у гарнизона капитуляцию и потом командовала им в течение недели, до прибытия английских военных.

Не знаю, какое чувство у меня было сильнее, когда я читал про эти цирлихи-манирлихи, — умиление или раздражение. Боюсь, злобы было больше.

Но в конце концов я сказал себе: британские островитяне не виноваты в том, что им выпало провести ужасные военные годы в относительном благополучии. Хоть кому-то тогда повезло — и слава богу.

Портреты на память

Фотография как фотография, правда? Сидит молодой мужчина в несколько расслабленной позе. Задумчиво смотрит в объектив. Наверное, интересничает. Изображает байронизм (в ту эпоху было модно) или блазированность, утомление светскими удовольствиями.

На самом же деле...

...Это, друзья мои, как сказал бы унтер Пришибеев, мертвый труп умершего покойника.

В середине XIX века, после появления сначала дагерротипии, а потом фотографии, европейцы кинулись запечатлять себя. Наконец-то заказать портрет могли не только богатеи, но и люди среднего достатка.

«Портретомания» наложилась на еще одну моду. То была эпоха поэтизации всего, связанного со смертью. Кладбища считались бонтонным местом для променадов и пикников. Гробы стали изящней, похороны живописней, саваны нарядней, склепы замысловатей. Про эту викторианскую некрофилию я когда-то писал в книжке «Кладбищенские истории».

Какому-то фотохудожнику с деловой хваткой и пошлыми мозгами пришла в голову супер-бизнес-идея: заработать на горе тех, кто потерял дорогого человека. У скорбящего рассудок помутняется, расходов он не считает. Больше всего денег люди, как известно, тратят на свадебные торжества и на траурные церемонии.

Появилась новая услуга, которую предоставляли похоронные конторы в альянсе с фотоателье: снимок дорогого

покойника, загримированного под живого. «Вы не успели обзавестись на вечную память портретом обожаемого существа? Ничего страшного. Наша фирма исправит вашу оплошность».

Многие, очень многие безутешные родители, вдовцы или вдовицы заказывали себе такие фотографии.

Мертвеца наряжали, гримировали, усаживали в естественную позу при помощи всяких технических приспособлений. Глаза открывали, для блеска увлажняли. Иногда приходилось рисовать зрачки, растягивать губы в улыбке. (В свое время я подробно описал эту процедуру в романе «Пелагия и красный петух», воспользовавшись «Практическим руководством для судебных деятелей» 1915 года издания.)

Выглядело это так: →

Сейчас викторианские посмертные фотокомпозиции превратились в предмет коллекционирования у любителей всякого макабра.

Чаще всего, конечно, фотографировали умерших сыновей и дочерей — эти утраты самые болезненные из всех.

По лицам видно, что родители не в себе. Поэтому Бог им судья

Из поздних. Такое ощущение, что два мертвеца держат на руках спящих детей. Хичкок какой-то...

Мода держалась долго и сошла на нет лишь к 20-м годам XX века. Не потому, что скорбь стала более цивилизованной, а потому, что фотография перестала быть редкостью и от всякого умершего оставались какие-то прижизненные снимки. (Кстати говоря, превращение тела умершего Ленина в постоянно действующую инсталляцию — дальний отзвук всё той же викторианской некрофилии. Лучше бы уж мертвого Ильича посадили в кресло или поставили на броневик, щелкнули на память да и закопали бы с богом. А то лежит посреди города жуткая жуть, только людей пугает).

Неудачное позирование

Некоторые постмортемные снимки сляпаны кое-как — сразу видно, что покойник.

Иногда в коллекциях попадаются просто шедевры гримерного искусства. Нипочем не догадаешься.

Но в общем, конечно, мрак и ужас...

Надеюсь, вы читаете это не на ночь?

«Стыдные» процессы

...Про жуткий и одновременно анекдотичный «Процесс кадавра» я начитался, когда собирал материалы для главы о крещении Руси.

Нужно было разобраться, почему князь Владимир предпочел восточное христианство западному. (Этот выбор представляется мне самым главным событием отечественной истории. Почему — объясняю в первом томе «Истории Российского государства».)

Как известно из летописи и некоторых иных источников, Киевская Русь не сразу отдала предпочтение константинопольской версии христианства. Ислам (религия волжских болгар) и иудаизм (религия хазар), вопреки легенде, кажется, не рассматривались, а вот к римской церкви Рюриковичи приглядывались и примеривались всерьез. Однажды, при княгине Ольге, в Киев уже было позвали германского епископа, но потом передумали и отправили восвояси.

Почему? Ведь, соглашаясь признать церковную власть византийского патриарха, Русь усугубляла свою зависимость от империи, и без того весьма значительную. Русские князья хорошо понимали эту опасность и к ромеям относились настороженно, даже враждебно.

А дело в том, что на исходе первого тысячелетия авторитет Святого Престола пал очень низко. Папский Рим погряз в пороке и скандалах, стал притчей во языцех. «Немецкая» церковь пребывала в убожестве. Послы Владимира Красное Солнышко рассказывали князю: «И придохом в Немце и видихом службу творяща, а красоты не видихом никоеяже». Казалось, благочестие и религиозность ушли навсегда и больше не вернутся.

Низшая точка падения для римской церкви — так называемый Synodus Horrenda («Ужасный Синод»), он же «Процесс кадавра».

Папа Фофмоз

Папа Формоз (891–896) был скверным понтификом. Этот политический интриган вверг Италию в затяжную и опустошительную войну (не буду сейчас рассказывать, между кем и кем – неважно). У духовенства и римских жителей накопилось столько злобы на несвятое святейшество, что даже кончина Формоза не смягчила сердца.

Новый папа Стефан VI решил подвергнуть своего предшественника посмертному суду. Полуразложившийся труп вынули из саркофага, усадили на престол и провели процесс по всей форме.

На вопросы обвинителя за Формоза отвечал специально назначенный дьякон. Без запирательства признавался в богохульстве, святотатстве и прочих злодеяниях. Думаю, прокурорам было очень удобно работать с таким подсудимым.

Согласно вердикту, покойник был предан проклятию, все его эдикты отменены, рукоположенные им епископы лишены сана, а само пятилетнее папство Формоза объявлено несуществовавшим.

Мертвецу отрубили три кощунственных пальца, смевшие касаться Святых Даров, и швырнули останки в смрадный Тибр.

Но на этом злоключения Формоза не закончились. Кто-то выловил его из реки и похоронил как положено. Однако через несколько лет несчастный скелет опять поволокли на суд. Второй процесс признал Формоза виновным в еще более тяжких преступлениях. Оттяпали уже не пальцы, а голову и только тогда успокоились.

Все христианские страны – равно как и народы, еще только подумывавшие о крещении, – наблюдали за этим трупоедством с ужасом.

Как тут не вспомнить фильм Тенгиза Абуладзе «Покаяние», где мертвого злодея снова и снова выкапывают из могилы, чтобы его преступления не были преданы стыдливому забвению.

И здесь мы подходим к больному вопросу: есть ли смысл устраивать ритуальные суды над собственным прошлым? В конце концов, преступники уже умерли или казнены, развалины поросли травой, сменились поколения. Кому нужны эти позорные для отечества «Процессы кадавров»?

Когда смотришь вокруг, приходишь к выводу, что именно отечеству-то они больше всего и нужны.

Вот Германия устроила многолетнее публичное самобичевание за фашизм – и, кажется, изжила эту хворь. А Япония, например, в своих военных преступлениях так по-настоящему и не покаялась, и современные японцы довольно туманно представляют себе, что такое «Нанкинская резня», «Отряд 731» или самурайский спорт по проверке остроты меча на китайских шеях.

Нашему государству, как известно, тоже есть в чем повиниться. Но мы этого не любим. Извиняются ведь только слабаки, правда? И вообще, то был СССР, а мы – РФ. Мы унаследовали только всё хорошее, а всё плохое – это к Сталину и Брежневу, пожалуйста. Между прочим, и они тоже выдающиеся лидеры, при которых «у нас была великая эпоха». Так что нечего нам тут подбрасывать.

«Процесс кадавра». Жан-Поль Лоранс

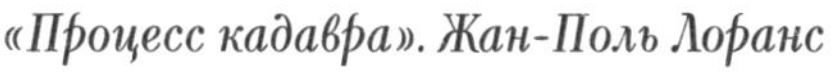

Пожалуй, главный фейл ельцинизма – проваленный процесс над кадавром КПСС. Потому что надо было использовать этот юридический инструмент для расставания с прошлым, а не для политической борьбы с Зюгановым.

Очень возможно, что нелепый с нашей нынешней точки зрения «Процесс кадавра» был не напрасен. Католическая церковь потому и воскресла, что не боялась каяться и очищаться, даже выставляя себя на позор и посмешище. В последующие века авторитет Рима восстановился, и западная ветвь христианства оттеснила восточную на второй план.

Если бы папство решило свои репутационные проблемы немного раньше, очень вероятно, что многоумный Владимир выбрал бы не Константинополь, а Рим, и тогда вся наша история пошла бы по совершенно другой траектории. Уж не знаю, к добру или к худу.

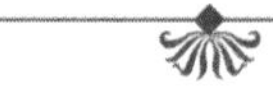

«Пусть говорят» XI столетия

Легко представить, как упивались бы этим сюжетом таблоиды и помоечные телешоу нашего времени. Так и вижу заголовки:

СКАНДАЛ В ИМПЕРАТОРСКОМ СЕМЕЙСТВЕ!

ЕВРОПА В ШОКЕ!
АДЕЛЬГЕЙДА: МУЖ ПРИНУЖДАЛ МЕНЯ
К СЕКСУ С СЫНОМ

ПРЕСС-СЕКРЕТАРЬ ПРЕЗИДЕНТА: «ТАКОВЫ НРАВЫ
ЗАПАДА – ПЕДОФИЛИЯ, ИНЦЕСТ, САТАНИЗМ»

ОМБУДСМЕН ПО ПРАВАМ РЕБЕНКА ВЫЛЕТАЕТ
В ВЕРОНУ РАССЛЕДОВАТЬ ОБСТОЯТЕЛЬСТВА
СМЕРТИ МАЛЕНЬКОГО ПРИНЦА

ГОСДУМА РАССМАТРИВАЕТ ЗАКОНОПРОЕКТ О
ЗАПРЕТЕ ВЫДАВАТЬ РУССКИХ
ЖЕНЩИН ЗА ИНОСТРАНЦЕВ

ЕВПРАКСИЯ: «БЕС ПОПУТАЛ МЕНЯ ОТКАЗАТЬСЯ ОТ
ПРАВОСЛАВИЯ»

СЕГОДНЯ В ПРАЙМ-ТАЙМ СМОТРИТЕ ЭКСКЛЮЗИВНОЕ ИНТЕРВЬЮ С ИМПЕРАТРИЦЕЙ. «Я РАССКАЖУ
ВСЁ БЕЗ УТАЙКИ»

В общем, в одиннадцатом столетии тоже жили нескучно.

Это были времена, когда Киевская Русь еще была частью Европы и великие князья часто выдавали дочерей за иноземных государей.

А сколько можно было бы собрать рекламы!

Евпраксия, дочь Всеволода I Ярославича, была двенадцатилетней девочкой (вот вам педофилия) просватана за маркграфа саксонского и уехала в Германию. Вскоре потеряла мужа и, как подобало знатной вдове, жила в монастыре. Аббатисой там была сестра германского императора Генриха IV. Навещая родственницу, монарх увидел русскую принцессу и пожелал на ней жениться. К этому времени Евпраксия уже звалась Адельгейдой — приняла католичество.

Брак вышел, мягко говоря, неудачным.

Генрих IV (1050–1106), согласно некоторым источникам, принадлежал к секте николаитов, исповедовавших «не-

Дочери Ярослава Мудрого (справа налево): королева норвежская, королева венгерская, королева французская, принцесса английская

целомудрие» и практиковавших свальный грех.

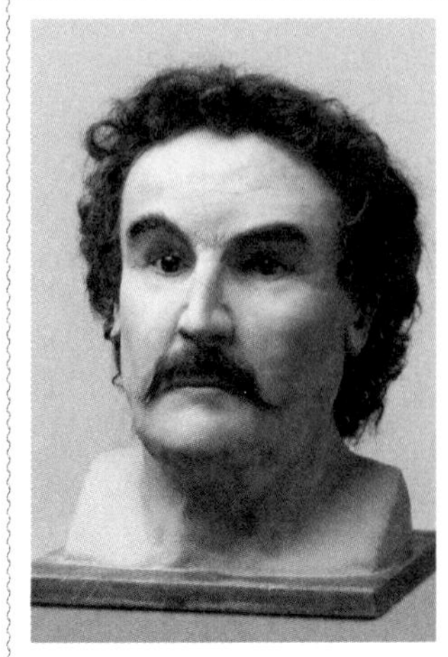

Нехороший иностранный муж (реконструкция по черепу)

Тем не менее супруги вели совместное хозяйство на протяжении четырех лет — в основном в Италии, где Генрих сражался со своими заклятыми врагами, сторонниками папского престола.

У Адельгейды-Евпраксии родился сын, но двух лет от роду умер. Отношения между императором и императрицей окончательно разладились, и она сбежала от мужа к его лютой ненавистнице Матильде Тосканской. Тут-то скандал и разразился.

Матильда была дама предприимчивая, с креативным мышлением. Очень хорошо понимала эффективность «черного пиара», то есть сильно опережала эпоху. Например, сообразила, что лучше всего уничтожить конкурента, выставив его на позор перед всей Европой.

И уговорила беглую жену снять тяжесть с души — покаяться в грехах перед папой.

Сначала Адельгейда, вероятно, пришла в ужас. Воскликнула: «Как можно! Это не удастся сохранить в тайне! Все будут об этом говорить!» «Вот и чудесно. Пусть говорят», — ответила умная Матильда.

И императрица покаялась в окаянствах, к которым понуждал ее кощунник и развратник. Да не в исповедальне, а публично и принародно — на Пьяченцском церковном соборе 1095 года. Сообщила церковному суду массу пикантных подробностей: о сатанистском культе, об оргиях, в которых Генрих заставлял ее участвовать, о том, как он посылал к ней в опочивальню своего сына.

Представляю, какое это было захватывающее ток-шоу. Должно быть, за местечко в зале брали немалую мзду.

Для врагов императора всё закончилось хорошо: Генриха предали анафеме и прогнали из Италии. Для дуры всё закончилось плохо. Ей отпустили прегрешения и сказали: теперь езжай, куда хочешь.

Несколько лет она скиталась по Европе, никому не нужная и всеми презираемая. В конце концов изгнанница вернулась на родину, где ей тоже вряд ли обрадовались.

В Киеве Евпраксия доживала тихо, и никто ей не докучал, потому что НТВ, «Лайфньюс» и интернета еще не существовало. Умерла в монастыре, не оставив сенсационных воспоминаний. Такой хардкор пропал зря!

Впрочем не совсем.

Роль фейсбука и твиттера на Руси тогда исполняли калики перехожие. Они со своими гуслями-перегудами разносили по стране небылицы, обманчиво именуемые «былинами», и, конечно, не обошли Евпраксию вниманием. Однако, как водится в социальных сетях, отнеслись к несчастной жертве сексуального маньяка неполиткорректно. Иначе чем «волочайкой», то есть потаскухой, ее в фольклоре не называют.

Вещий Боян гонит боян про «волочайку»

Нехорошие места. Гревская площадь

Меня всегда интриговала эта тема: жуткие призраки прошлого, прячущиеся под легкомысленным макияжем современности.

В свое время я объездил места кровавых сражений — Ватерлоо, Аустерлиц, Бородино, Плевна — и убедился, что энергетика множества трагически оборвавшихся жизней со временем не рассасывается. Что-то такое висит в воздухе, отбрасывает зловещую тень.

Место экзекуций, непременный атрибут исторического города, еще хуже, чем поле брани. В битве, даже самой жестокой, всегда есть надежда, что повезет и останешься жив. Там, где казнят, надежды не было. Там сгустился беспросветный ужас.

Прежде чем прийти на эту площадь с фотоаппаратом, я, конечно, почитал, кого из исторических личностей там умертвили, посмотрел гравюры и литографии. Стою, смотрю на машины, на туристов, на разноцветную чепуху, и через минуту-другую всё это начинает размываться. Из земли сочится красноватый туман. Проступают контуры Другого Времени. Слышится жадный рев толпы — предков нынешних милых конькобежцев и велосипедистов.

Я попытался поймать в объектив красный отсвет вечернего солнца на льду перед Парижской мэрией, чтобы получился каток на крови, но мастерства не хватило. У википедского фотографа и то лучше (см. фото на следующей странице).

Это бывшая Гревская площадь, где в течение нескольких столетий отправляли на тот свет преступников (и тех, кого считали преступниками).

Название мы знаем с детства благодаря романам Дюма, поэтому ассоциации в основном романтические.

«С высоты окна, из которого открывался вид на Гревскую площадь, д'Артаньян с тайным удовольствием наблюдал, как находившиеся в толпе мушкетеры и гвардейцы успешно прокладывали себе дорогу, работая кулаками и рукоятками шпаг».

«— Прощай, Маргарита! — прошептал он. — Будь благосло...

Ла Моль не кончил. Повернув быстрый, сверкнувший, как молния, меч, Кабош одним ударом снес ему голову, и она покатилась к ногам Коконнаса».

На самом деле ничего романтического в Гревской площади нет. Пятьсот лет ужаса, страданий и варварского шоу-бизнеса. Жертвы испускали дух под вой и улюлюканье толпы, которая приходила сюда, как сегодня приходят на футбольный матч или на концерт. Приводили детишек. Удобные места, откуда хорошо виден эшафот и где можно разложить закуску-выпивку, во время особенно громких казней «жучки» продавали за огромные деньги. Следует признать, что человечество постепенно становится лучше. Сегодня полюбоваться зрелищем смерти публика собирается разве что в странах победившего шариата.

Все-таки поразительно, что парижане именно здесь построили себе мэрию. Есть в этой жовиальной бестрепетности по отношению к теням прошлого нечто сугубо галльское. Девиз Франции: разрушить мрачную Бастилию и поставить табличку «Здесь танцуют».

(Интересно, а каков девиз русской истории? «Здесь ноют»? «Здесь ничему не учатся»?)

Пожалуй, единственная хоть сколько-то романтическая страница в истории Гревской площади — борьба кардинала Ришелье с дуэлянтами. По эдикту 1626 года за участие в поединке дворянину отсекали голову. Чаще всего как-то обходилось (быль молодцу не в укор, да и влиятельные родственники всегда замолвят словечко), но случались и суровые исключения.

Король дуэлянтов, вот этот красавчик, граф Франсуа де Монморанси-Бутвиль, слишком долго испытывал терпение его высокопреосвященства и в конце концов допросился. Он заколол на дуэли сначала графа, потом маркиза, потом снова графа, потом тяжело ранил барона. Сбежал за границу. Вернулся. Поклялся, что еще кого-нибудь вызовет и прикончит прямо среди бела дня, потому что кардинал не смеет покушаться на древние вольности дворянства. 12 мая 1627 года в Пале-Рояль, то есть прямо под носом у Ришелье, он устроил «четверную» дуэль. Такого афронта власть простить уже не могла. И Бутвиля, и его секунданта с соблюдением всех реверансов обезглавили. Оба отправились на казнь, будто на бенефис, и умерли под рукоплесканья зрителей.

Колесование

Отсечение головы было привилегией дворян, смертью почетной и даже завидной. Простолюдинов вешали — если вина была не слишком тяжкой. Сугубых злодеев колесовали — то есть привязывали к колесу и железной палкой переламывали кости. Обвиненных в ереси или колдовстве сжигали.

Социальное неравенство было продемонстрировано, например, при казни двух знаменитых отравительниц: Катрин Монвуазен (1680) и маркизы де Бренвилье (1676). Простолюдинка умерла в мучениях, на костре. Аристократка всего лишь преклонила колени перед плахой. При этом маркиза была во стократ отвратительней. Самое гнусное даже не то, что она умертвила ближайших родственников, чтобы завладеть наследством, а то, что она отрабатывала мастерство ядосмесительства, тренируясь на слугах и бедняках в больнице.

По-разному расправлялись на Гревской площади и с цареубийцами.

Граф Монтгомери то ли случайно, то ли неслучайно (есть разные версии) убил на турнире Генриха II.

Попал копьем в глаз. Король умер после десятидневной агонии

Перед смертью монарх велел не карать убийцу, но вдова, Екатерина Медичи, была не столь великодушна. Она не забыла и не простила. Пятнадцать лет спустя, когда Екатерина стала фактической правительницей страны, Монтгомери был обезглавлен на Гревской площади – сущие пустяки по сравнению с участью Равальяка, убийцы Генриха IV.

Этого в 1610 году разорвали на части лошадьми.

Бедняга был крепкого телосложения, так что на радость толпе казнь продолжалась целый день, с утра до вечера.

Так же расправились уже во времена Просвещения, в 1757 году, с психически ненормальным Дамьеном, который слегка порезал карманным ножиком Людовика XV. Два с лишним часа кони под ударами кнутов тужились и никак не могли довести дело до конца. Палачу пришлось перерезать осужденному сухожилия. Конечности отрывались одна за другой...

Надо сказать, что психическая болезнь в те суровые времена не считалась смягчающим обстоятельством. В 1670 году юноша по имени Франсуа Саразен во время богослужения в церкви проткнул шпагой освященную просфору. Хотя было известно, что кощунник – сумасшедший, его судили без снисхождения.

Несчастному психу сначала отрубили руку, а потом спалили его на костре.

В юности, помню, я смотрел фильм «Картуш» про благородного и веселого разбойника, которого играл молодой Бельмондо.

Уж не знаю, сколько удали выказывал реальный Картуш в ходе своей бандитской карьеры – слишком густо его биография обросла легендами, однако кончил он препогано. В фильме про это ничего не было.

На следствии король преступного мира держался молодцом, выдержал все истязания и никого не выдал. Но на Гревской площади, увидев колесо, Картуш затрепетал и крикнул, что хочет дать показания.

Его увезли с места казни назад в суд, и там он в течение восемнадцати часов сыпал именами и явками. В результате были арестованы три с половиной сотни сообщников и пособников. Этой ценой Картуш оплатил один лишний день жизни – назавтра его все равно колесовали.

В кровавой истории площади есть один эпизод, про который читаешь с нехристианским чувством глубокого удовлетворения. Здесь отрубили тупую и злую башку вот этому негодяю (на картинке).

Антуан Фукье-Тенвиль был общественным обвинителем в период революционного террора. Он отправлял людей на смерть одним окриком или даже одним жестом – не выслушивая оправданий, затыкая рот защитникам, запугивая членов трибунала. Он воображал себя карающим мечом революции.

Dura lex во всей красе

Когда власть переменилась и самого Фукье-Тенвиля поволокли на суд, он ужасно удивился. Как же так, ведь он старался не для себя, он всего лишь усердно исполнял работу, которую ему поручили?! И вообще – такое было время! Ему сказали: «Но зачем ты оказался первым учеником, скотина такая?»

Вообще-то революционного прокурора уместнее было бы казнить не на Гревской площади, а на площади Революции. Но о ней – дальше.

Нехорошие места. Площадь Революции

Так называлась современная Площадь Согласия в 1792–1795 гг. Всего три года — но такие, после которых, казалось бы, мостовую никогда уже не отмыть.

Ничего, французы отмыли. Как-то у них, непостижимым для меня образом, это получается. Вот на этом самом месте президент республики 14 июля каждого года принимает парад. По-моему, жуть и кощунство — все равно что мы станем устраивать парады на Бутовском полигоне. Но французам, конечно, видней. Они любят свою революцию и считают ее людоедскую ипостась чем-то хоть и несимпатичным, но в историческом смысле извинительным.

А вот я это место очень не люблю. Крутится колесо карусели, а мне слышится скрип гильотины. Гудят клаксоны ав-

томобилей, а мне мерещится вопль распалившейся черни. Шорох шин по асфальту – будто голова покатилась в корзину с песком. Иногда думаешь, что лучше поменьше знать историю – приятней живется.

Сидящая тетка слева – это и есть Свобода

У них, учеников Вольтера и Дидро, тут еще и статуя Свободы стояла – это в ее честь приносились кровавые жертвы.

Во время Большого Террора, с мая 1793 года по июнь 1794 года, здесь совершалось в среднем по двадцать публичных казней в неделю. Смерть перестала быть спектаклем, как во времена Гревской площади, а превратилась в нечто вроде телесериала, который полюбился публике и тянется сезон за сезоном.

Современная карикатура: Робеспьер казнил всех французов и последним гильотинирует палача

О, тут было на кого посмотреть. Участвовали звезды первой величины: король с королевой, знатнейшие вельможи, прославленные революционеры, выдающиеся писатели и великие ученые.

Все умирали по-разному. Кто трясся от страха, кто геройствовал, кто хотел просто побыстрее покинуть этот отвратительный мир.

Времена были романтические, с модой на античность и стоицизм, поэтому в анналах сохранилось много звонких предсмертных фраз и картинных жестов. Но самому знаменитому смертнику площади, Людовику XVI, последнее слово произнести не дали. Едва король начал говорить (он хотел всего лишь выразить пожелание, что его смерть пойдет на пользу отчизны), как ударили барабаны. Помощники палача сорвали с Бурбона верхнее платье, поволокли, прикрутили к доске и, по свидетельству очевидцев, вместо шеи перерубили челюсть. Толпа кинулась макать платки в августейшую кровь...

Монарх он был слабый, а умер просто и мужественно

Через несколько месяцев здесь же обезглавили королеву. Она не пыталась обратиться к народу. Судя по рисунку Давида, сделанному с натуры, Мария-Антуанетта держалась гордо и презрительно. На оскорбления толпы не реагировала.

«Австриячка» за последний год стала совсем седой. В 37 лет

Ее последние слова были обращены к палачу, которому она случайно наступила на ногу: «Прошу меня извинить, сударь».

Не так умерла Шарлотта Корде. Для этой тираноубийцы (модное слово революционной эпохи) смерть была высшей точкой бытия. Девушка нарядилась во всё лучшее, что у нее было, и выглядела сияющей, словно невеста.

Она вызывала у толпы не только ненависть, но и восхищение. Один влюбленный молодой человек нарочно выкрикнул что-то контрреволюционное, дабы погибнуть той же смертью, что и предмет его обожания. (Желание осуществилось.)

Какой-то мерзавец подобрал отсеченную голову Шарлотты и влепил ей пощечину — надеялся снискать одобрение публики.

Рассказывают, что мертвое лицо залилось гневной краской. Да и толпа гнусный поступок не одобрила.

Ужасной была смерть несчастной мадам дю Барри, прославленной красавицы прежних времен. Ее несли к эшафоту на руках. Бывшая фаворитка плакала, кричала, умоляла о пощаде. Последние ее слова были: «Еще минуточку, господин палач!» Попрыгунья-стрекоза лето красное пропела, оглянуться не успела...

Здесь же окончил свою преступную жизнь и Робеспьер. Он тоже кричал – от боли (при аресте ему пулей раздробили челюсть). Но сильно жалеть этого человека мы не будем. Что посеял, то и пожал. Назавтра парижане сочинили эпитафию:

Не лей, о путник, слез ты надо мной.
Покойник был бы ты, останься я живой.

Великий химик Лавуазье пощады не просил, но подал ходатайство об отсрочке казни, чтобы завершить важную научную работу. Председатель трибунала заявил: «Республике не нужны ученые и химики. Да свершится правосудие». И оно свершилось.

Почти всех погибших на этой площади жалко. И знаменитых, и безвестных. Но есть казненный, которого мне хочется помянуть отдельно. Это был человек из самых лучших, вот уж воистину «благородный муж», a man for all seasons.

Из той же породы был наш Короленко, который при старом режиме заступался за революционеров, при новом – за «осколков империи», спасал из белой контрразведки красных, а из ЧК белых.

Как же мне нравится Кретьен-Гийом де Мальзерб, к сожалению, сегодня полузабытый.

Он родился в высокопоставленной семье и с ранней молодости занимал всякие высокие должности. Это Мальзербу человечество обязано изданием «Энциклопедии». Будучи главным королевским цензором, он защитил великое издание от всех нападок, а когда «Энциклопедию» запретили, спрятал рукопись от полиции до лучших времен.

Мальзерб больше всего любил ботанику, но считал себя обязанным участвовать в политической жизни. Он пытался проводить реформы – и уходил в отставку, если король чинил реформам препятствия. Побывал в опале и в ссылке. Был сторонником прогресса, одним из самых уважаемых в стране людей.

Людовик терпеть не мог этого либерала за упрямство и негибкость. Однако, когда король оказался в темнице и все от него отвернулись, именно Мальзерб вызвался защищать свергнутого монарха перед трибуналом. Король сказал: «Вы погубите себя, а меня все равно не спасете». Мальзерб и сам понимал, что не спасет, но тем не менее не отступился.

Нереволюционный человек. Совсем.

Власти отомстили защитнику «тирана» с поистине революционным размахом. Казнили зятьев, дочь, секретарей, даже внучку. Ну и самого, конечно, тоже не помиловали.

Поднимаясь на смертную колесницу, 73-летний Мальзерб споткнулся. И сказал с грустной улыбкой: «Плохая примета. На моем месте древний римлянин вернулся бы домой».

Пляс Конкорд. В прекрасном городе Париже мало плохих мест. Самое поганое — это.

Нехорошие места. Тайберн

Третье нехорошее место, в отличие от двух первых, не площадь, а перекресток.

Точнее, пешеходный островок неподалеку от Мраморной Арки.

Сейчас он выглядит вот так:

А в середине XVIII века здесь стояла большая стационарная виселица, так называемое «Тайбернское Дерево». Напротив, как видно по плану, – место, «где расстреливают солдат».

В асфальт закатан памятный знак, но большинство прохожих его не замечают или вовсе не знают, что за Tybern Tree такой. Может, майское дерево или дуб, под которым древние друиды водили хороводы.

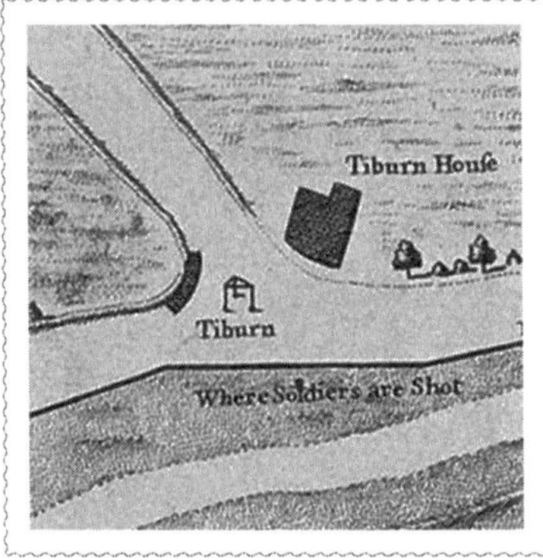

Мимо виселицы проходил тракт, и все, кто приближался к Лондону, получали наглядное предупреждение: в столице следует вести себя прилично и законов не нарушать. На «дереве» одновременно размещалось до 24 висельников.

Местные жители устроили себе из этого соседства неплохой бизнес. Во время интересных казней строили трибуны для зрителей, продавали напитки, торговали листовками и памфлетами. Публика приветствовала аплодисментами осужденных, кто держался молодцом, и освистывала малодушных.

Места хватало...

Слово «Тайберн» прочно вошло в лондонский фольклор той эпохи. «Поплясать в Тайберне» значило «угодить на виселицу»; «прокатиться в Тайберн» – отправиться на тот свет.

На протяжении веков Тайбсрн мало чем отличался от других подобных очагов душегубства. Здесь истязали приговоренных с обычной для средневековья жестокостью; жгли на огне за убеждения; вешали за мелкие правонарушения вроде карманной кражи; без колебаний умерщвляли малолетних преступников, для которых закон не делал никакого снисхождения (ювенальной юстиции еще не существовало).

Однако есть одна совершенно британская особенность, на которую обращаешь внимание, когда изучаешь перечень «звезд» Тайберна.

Благодаря Уильяму Хогарту мы знаем, как это выглядело

Например, вот две казни, которые не могли свершиться ни в одной другой стране тогдашнего мира.

Лорд Дакр — важное имя в истории британского правосудия

В 1541 году барон Томас Дакр с компанией приятелей-дворян отправились поохотиться в чужих угодьях. Когда лесничие попытались их остановить, браконьеры схватились за оружие. Один из лесничих был убит. Состоялся суд, приговоривший лорда и его сообщников к смертной казни. Все они были повешены в Тайберне как самые обыкновенные преступники — даже не удостоились отсечения головы. За убийство ничтожного простолюдина заплатили жизнью высокородный лорд и трое дворян.

Вдумайтесь: это произошло в *тысяча пятьсот сорок первом* году — то есть во времена, когда в большинстве европейских стран крестьянина можно было затравить охотничьими псами просто ради забавы. Наш Иван Васильевич был еще даже не «грозным», а всего лишь милым мальчиком, который развлекался, мучая кошек и собак.

Примерно такая же история случилась в 1760 году. Граф Ферререс в припадке гнева застрелил своего лакея. Подумаешь, большое дело.

Наша Салтычиха в те же самые годы до смерти замучила 138 крепостных, прежде чем ею занялся суд.

А тут благородного человека, пэра Англии, за сущую ерунду приговорили к виселице. Единственной привилегией, которую граф выговорил себе и оплатил из собственного кармана, была шелковая веревка. В день казни его сиятельство прибыл из Тауэра в Тайберн в узорчатой карете, одетый в расшитый серебром свадебный наряд. Щедро дал палачам на чай. И заболтался в петле, на самых что ни на есть общих основаниях.

Еще для графа соорудили пьедестал — из уважения к титулу

Как-то странно восхвалять демократические ценности на примере равенства всех перед виселицей. Я, собственно, и не собираюсь этого делать. Однако читая про то, как лордов вешали за убийство плебеев, начинаешь понимать, почему Англия — страна особенная. Идея неотъемлемых прав личности утвердилась здесь раньше, чем в других уголках планеты. Потому и с чувством собственного достоинства у британцев с давних пор всё в порядке.

Я вот думаю: неужели нам придется пройти всю дорогу с самого начала? Сначала Великая Хартия Вольностей, потом Кромвель и Славная Революция, потом движение луддитов и чартистов...

Тоска, леди и джентльмены.

Про секрет длинной жизни

Среди долгожителей на удивление мало знаменитых людей. Как начнешь разбираться, оказывается, что почти все, кто дотягивает до глубокой-преглубокой старости, прожили заурядную, малособытийную жизнь. Горели неярко и ровно, потому долго и не перегорали.

Но бывают исключения.

Интересно получается с политическими и государственными деятелями. Такое ощущение, что для этой категории знаменитостей самый надежный билет в длинную жизнь – вовремя сверзнуться с Олимпа. После балансирования на верхушке политической пирамиды, где сплошь стрессы и риски, уход со света в тень нередко становится мощным ревитализирующим стимулом, вроде второго рождения. Кто с горя не умирает быстро, получает хороший шанс на сверхдлинный забег. Особенно благотворны почему-то опала, сокрушительный крах и даже заточение.

В качестве архетипического примера приведу сюжет из отечественной истории.

На портрете слева – последний атаман Запорожской Сечи Петро Калнышевский, кавалер ордена Андрея Первозванного, генерал-лейтенант российской армии.

Когда Екатерина в 1775 году решила упразднить казачью вольницу, атаман был уже очень стар. Его сослали на Соловки и содержали там в ужасных условиях, чтобы поскорее помер. Посадили навечно под замок, в крошечную камеру, откуда выпускали подышать воздухом два раза в год. Пишут, что к концу заключения там накопился полутораметровый слой нечистот. Любой здоровяк в два счета отдал бы богу душу. Но старец не торопился переселяться в мир иной. Он провел в узилище четверть века, после амнистии отказался выходить на свободу и скончался только в 1804 году, имея от роду 113 лет, то есть успел пожить аж в трех столетиях – семнадцатом, восемнадцатом и девятнадцатом.

Хоть и не до такой степени, но все равно исключительно живучими оказались погорельцы нашей «антипартийной группы» 1957 года. Рухнув с Олимпа, Молотов и Каганович благополучно пережили всех былых товарищей по политбюро – даже легендарно непотопляемого Микояна, который дотянул «от Ильича до Ильича без инфаркта и паралича». Анастас Иванович скончался всего-то на восемьдесят третьем году, что по нынешним меркам даже и долгожительством не считается (на Западе оно теперь начинается с девяносто пяти). А вот Вячеслав Михайлович в своем тихом забвении досуществовал до 96 лет, Лазарь Моисеевич – и вовсе до 98.

Вдали от власти – оно спокойней. Маршал Соколов

Другая жертва политических интриг, маршал Соколов, с треском изгнанный из министров обороны якобы из-за полета Матиаса Руста, жил-поживал после этого еще много лет и отошел в иной мир на сто втором году от рождения.

А его вьетнамский коллега Во Нгуен Зиап, звонкое имя которого я намертво зазубрил со студенческих времен (можете меня хоть сейчас спросить, как звали руководство братских соцстран – не вырубишь топором), и поныне живехонек, хоть вылетел со всех постов еще тридцать с лишним лет назад.

Сто третий год дедушке, дай ему вьетнамский бог здоровья

Кроме опальных госдеятелей завидным долголетием отличаются философы, но это понятно. Ничто их, мудрых, не шокирует. Случись какая-нибудь чума – фило-

Эрнст Юнгер (1895–1998)

Клод Леви-Стросс (1908–2009)

Мой любимый Бертран Рассел (1872–1970)

Любимица нации Елизавета-старшая (1900–2002)

соф махнет рукой, скажет: «Пройдет и это». Сердечная мышца при таком аппроуче изнашивается медленнее.

Отлично консервируются также члены королевских фамилий – особенно, если вовремя уходят в тень. В этом случае получается двойной оздоровительный эффект: для потерявшего актуальность политика и для августейшей особы, вся жизнь которой – сон, увиденный во сне. Режешь себе ленточки на торжественных церемониях да дремлешь с открытыми глазами на благотворительных банкетах.

Англичане сильно недолюбливали Елизавету-старшую, пока та восседала с мужем на престоле. А после того, как она в 1952 году овдовела и стала безобидной королевой-матерью, все ее обожали – и чем дальше, тем больше.

Из рекордсменов этого разряда мой фаворит – японский принц Хигасикуни (1887–1990), дядя императора Хирохито. Принц Хигасикуни еще в юности (моей, не его) интриговал меня зигзагами своей биографии. Высочеству тогда было уже сильно за восемьдесят, и он казался мне невероятным мафусаилом, а ведь ему оставалось жить еще лет пятнадцать.

Даю молодое фото, а то всё старики да старики

В молодости принц, как положено, был разгильдяем. Уехал постажироваться в Сен-Сире, а потом так прижился в веселой французской столице, что вытащить его обратно в Японию не удавалось целых шесть лет. В конце концов правительство отрядило решительного камергера, чтобы доставить загулявшее высочество на родину.

Однако с возрастом Хигасикуни остепенился и сделал большую военную карьеру. Ему выпала ключевая роль в истории: в августе 1945 года он был специально назначен премьер-министром, чтобы провести страну через ужас и позор капитуляции. Вероятно, если бы пребывание у власти затянулось, принц так долго бы не прожил. Но уже через два месяца он со скандалом (сейчас уже неважно каким – ничего особенно интересного) был отправлен в отставку и с тех пор никогда больше ничем важным не занимался.

Он, правда, был еще и японец, а это большой плюс в смысле долголетия.

Минувшей осенью статистики сообщили, что Япония лидирует в мире по числу «сентенариев» – людей, которым больше ста лет. На архипелаге таких сейчас пятьдесят с чем-то тысяч. Самый старый мужчина и самая старая женщина планеты сегодня японцы (115 и 114 лет соответственно).

Поэтому тем из нас, кто не государственный деятель, не философ и не августейшая особа, поинтересоваться секретами долголетия следует у рядовых японцев.

Рискну ответить за них.

1. Надо жить осмысленно, относиться к жизни как к Пути, а не как к топтанию на месте или к бегу в колесе.

2. Надо любить свою работу и не считать такую любовь извращением. Тогда утренний звонок будильника не будет сокращать жизнь на несколько часов.

3. Надо есть побольше водорослей и поменьше животных жиров. Желательно палочками – в них меньше помещается, чем в ложку.

4. Надо проводить массовое диагностирование населения на онкологию.

5. Ну и самое трудное (даже, вероятно, неисполнимое). У японцев принципиально иной регулятор нравственного поведения: не совесть, но стыд. Мы, совершив какую-нибудь бяку, потом угрызаемся совестью, а это стресс. В японском языке слова «совесть» нет. Но там люди с детства ужасно боятся попасть в стыдное положение и потому предпочитают вести себя прилично. Если японец хороший человек и прожил жизнь нестыдно, ему и угрызаться не из-за чего. Если же плохой – идея терзаться муками совести вообще в голову не придет.

P.S.

Многим сейчас захочется узнать, кто был самым-рассамым долгожителем в истории человечества. Не гуглите, я за вас это уже сделал.

Если отставить всякие легенды и сомнительные случаи, а брать лишь стопроцентно задокументированные факты, то чемпионка здесь Жанна Калман (1875–1997), француженка. Она родилась за год до изобретения телефона и умерла в год, когда я впервые заабонировался в интернете.

В общем, давайте жить долго. Это может оказаться интересно.

Потомок динозавра

Неподалеку от Сен-Мало, где я часто бываю, есть городок Сен-Бриак-Сюр-Мер, хорошенький, словно картинка из детской книжки.

Известен Сен-Бриак тем, что здесь несколько десятилетий находилась резиденция местоблюстителя российского престола, главы царского дома в изгнании, — сначала Кирилла Владимировича (1876–1938), затем Владимира Кирилловича (1917–1992).

Тихая гавань

На местных барахолках и в антикварных лавках, до которых я большой охотник, мне все время попадались занятные мелочи, прежде явно принадлежавшие кому-то из обитателей резиденции: игрушечные казаки, литографии с Невским проспектом и Царским Селом, русские книжки (одна — про колхозы, с фиолетовыми завитушечными инициалами на авантитуле), всякие коробочки-шкатулочки.

Одну шкатулку даже купил: что-то такое avec des mujiks russes

Но поскольку монархического и аристократического пиетета во мне мало, венценосным соседством я никогда особенно не интересовался. А тут вдруг прочитал в местной газете, что

Великий князь Кирилл Владимирович

office de tourism Сен-Бриака по четвергам устраивает экскурсии «Romanovs», — и решил сходить.

Два часа слушал всякое душещипательное. Про романтическую любовь гран-дюка Сирила к разведенке-принцессе, внучке британской Виктории.

Про то, как суровый русский царь Николя подверг своего кузена ужасным гонениям (лишил права на престолонаследие и на время выгнал с морской службы) за этот скандальный брак. Про то, как после революции семья августейших эмигрантов проживала свои драгоценности и как в их небогатое жилище, к умилению сен-бриакцев, наведывались блистательные родственницы — королева шведская, королева румынская.

Жили местоблюстители очень скромно. На снимке слева — простой дом, который они купили, продав свой парижский особняк.

Вокруг полно вилл гораздо более нарядных и богатых. Глядя на ни чем не примечательное серокаменное строение, я думал о том, как здесь, в тусклом ла-маншском климате, год за годом дотлевала великая монархия, три века правившая моей огромной страной.

В комнатах, конечно, висели портреты выдающихся предков: Петра, Екатерины, трех Александров. В первое время обитателям казалось, что всё обязательно исправится и наладится — вернулись ведь в Англию Стюарты, а во Францию Бурбоны. Но шли годы, мечта ветшала, покрывалась плесенью. Подрастали дети, которым грезы о величественном прошлом бередили душу — и, должно быть, мешали жить нормальной жизнью.

Большая история, начавшаяся ровно четыреста лет назад в костромском монастыре, закончилась здесь, в игрушечном городишке, где на протяжении всего XX века свято блюли место, которого больше нет. Вся российская империя, некогда занимавшая шестую часть суши, поместилась на нескольких сотках, за невысокой оградой.

Почти обычная семья перед своим домом

Смотрел я на этот реликт и вспоминал, как в детстве сажал на ладонь тритона и с почтением думал: а ведь когда-то он был динозавром...

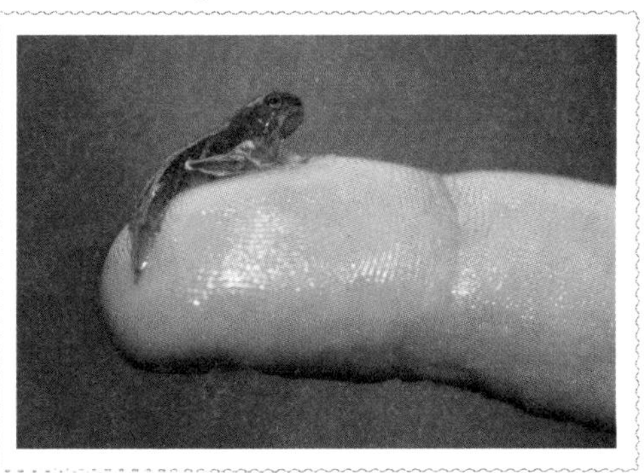

История одного предательства

Даже не вспомнить, когда мы с ней начали жить вместе.

Это было очень давно, мы еще не научились читать и писать, а стало быть, запоминать события.

Калигула назначает Инцитатуса сенатором

Мы вместе работали, вместе воевали, вместе развлекались. Мы очень ее любили. Мы не могли обходиться друг без друга. То есть она без нас — запросто, а мы без неё никак.

Иногда наша любовь в своем накале достигала абсурдного (см. рисунок).

Как вы уже догадались, я про лошадь.

В течение всей письменной истории конь был главным существом после человека. Даже не так: главным существом после мужчины, потому что некоторые народы ценили своих женщин меньше, чем лошадей. («Золото купит четыре жены, конь же лихой не имеет цены», — поет у Лермонтова неполиткорректный Казбич.)

Изучая материалы о татаро-монгольском нашествии, я

сделал поразительное открытие, которым, впрочем, не стал делиться с читателями моей «Истории», чтобы не усугублять обвинения в русофобии. Но вам сообщу, мелким шрифтом, по секрету.

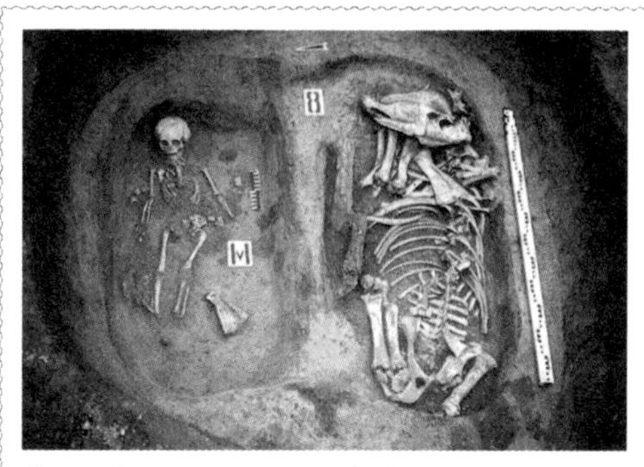

Смотрите, с кем отправлялся в вечность настоящий мужчина

Русь завоевали не монголы, а лошади. Именно из них в основном состояли силы вторжения. У каждого степняка было в среднем по четыре коня. Стало быть, Батый привел на Русь триста тысяч (так пишут в летописях) воинов и целый миллион двести тысяч лошадей, которые своими пятью миллионами копыт всё тут к черту вытоптали. Но тс-с-с, это между нами.

Сто лет назад для неконеводческих стран считалось нормальным обратное соотношение: по одному коню на четырех человек. Это значит, что лошадиное население Европы превышало сто миллионов.

И вот грянул 1914 год, все гусары-кирасиры попрыгали в седла, артиллеристы зазвенели упряжью, затрубили трубы, бравые жеребцы-кобылы воинственно затрясли гривами...

Красота!

И очень скоро выяснилось, что всё это больше не нужно. Война будет окопной, эпоха лихих сабельных атак закончилась, ездить надо на машинах и танках, а орудия возить на тягачах.

Первая мировая война считалась крахом европейской цивилизации, но цивилизация встряхнулась и возродилась. А лошадная цивилизация – нет.

Человечество предало своего верного, старинного друга, как только выяснилось, что дружба себя больше не окупает. Овес дорог.

Со всеобщей автомобилизацией и тракторизацией начался настоящий лошадиный холокост. Бывших боевых товарищей повезли на бойни, чтобы не тратиться на фураж. Остановились племенные заводы. Ушли в прошлое лошадиные ярмарки, упразднились прежде важные профессии: коннозаводчик, извозчик, ломовик, ковбой (эти, правда, переселились на киноэкран). Даже преступный мир пострадал – вымерло авторитетное сословие конокрадов.

Лошадей на свете осталось очень мало. На них катаются немногочисленные спортсмены и любители лаковых сапог; кое-где сохранились скачки, сорт лотереи; в некоторых азиатских странах лошадей доят и едят. Кажется, всё.

Прости нас, лошадь.

Чужие среди своих

Как часто со мной бывает, этой интересной темой я занялся, когда собирал материал для книги.

Мне нужно было понять психологическое устройство русского эмигранта, который во время Крымской войны из идейных соображений шпионит на англичан. Что за бури бушуют в сердце человека, который помогает убивать людей своей крови — можно сказать, родственников?

Меня интересовала не ситуация, скажем, власовцев, абсолютное большинство которых записались в РОА, спасаясь от медленной смерти в концлагере, а добровольный и сознательный выбор.

Естественнее всего было начать с истории русских немцев двадцатого столетия.

Как вы знаете, в Российской империи их было очень много, особенно среди военного сословия. Пропорция не-

Не получается громить немцев на фронте — будем громить в тылу

ШКУТТЕ Николай-Георг Микелевич, пор., 10-я Сибирская стр. арт. бриг., ГО — ПАФ от 04.03.1917. Ф.409. Оп

ШЛЕГЕР Борис Карлович, кап., 8-й Сибирский стр. п., ГО — ВП от 07.11.1915. Ф.409. Оп.1. п/с 150-792 (1915).

ШЛЕЙСНЕР Николай Александрович, полк., ком. 2-го сап. бат., 4 ст. — ВП от 11.03.1915. Ф.400. Оп.12. Д.266

ШМАГАЙЛОВ Вячеслав Леонидович, пор., 25-я арт. бриг., ГО — ВП от 29.08.1916. Ф.400. Оп.12. Д.26988. Л.6

ШМАКОВ Василий Александрович, ротм., 6-й улан. Волынский п., ГО — ВП от 08.11.1914. Ф.400. Оп.9. Д.349

ШМАКОВ Павел Валерианович, шт.-кап., 25-й пех. Смоленский п., 4 ст. — ПАФ от 04.03.1917. Ф.400. Оп.12. Д

ШМАЛЕВ Александр Васильевич, кап., 40-й пех. Колыванский п., ГО — ВП от 18.03.1915. Ф.408. Оп.1. Д.111

ШМАТКО Иван Иванович, прап., 297-й пех. Ковельский п., 4 ст. — ВП от 15.01.1917. Убит 19.08.1915 г. Ф.40

ШМЕЛЕВ Александр Андреевич, подполк. 4-й Сибирской стр. арт. бриг.; полк. 4-го Сибирского горн. арт. ди
стр. арт. бриг. Ф.400. Оп.12. Д.26677. Л.441-444, 547-552 (1915); Ф.409. Оп.1. п/с 51-529 (1917).

ШМЕЛЕВ Кузьма Михайлович, пор., 16-я арт. бриг., ГО — Приказ по 11-й армии от 11.10.1917 № 689. Ф.2129.

ШМЕРЛИНГ Николай Семенович, пор., 19-й Сибирский стр. п., 4 ст. — ВП от 09.06.1915. Ф.400. Оп.12. Д.2667

ШМИДТ Владимир Федорович, подпор., л.-гв. 3-й стр. п., 4 ст. — ВП от

05.02.1916. Убит 07.07.1915 г. Ф.400. Оп.12. Д.26986. Л.158-161 (1915); Ф.409. Оп.1. п/с 63-621 (1916).

ШМИДТ Георгий Мартынович, прап., 123-й пех. Козловский п., 4 ст. — ВП от 23.09.1915. Ф.400. Оп.9. Д.3472

ШМИДТ Николай Николаевич, полк., л.-гв. Гродненский гус. п., ГО — ВП от 31.12.1916. Ф.400. Оп.12. Д.2732

ШМИДТ Павел Иванович, полк., 189-й пех. Измаильский п., ГО — ПАФ от 04.03.1917. Награжден за отл. в 19

ШМИДТ Сергей Николаевич, шт.-кап., л.-гв. 1-й стр. п., ГО — ВП от 03.01.1915. Ф.409. Оп.1. п/с 10-497 (1906

ШМИДТ Фридрих-Артур Рудольфович, пор., Свеаборгская креп. воздухоплав. рота, ГО — ВП от 04.07.1916.

ШМИДТ фон дер ЛАУНИЦ Федор Евгеньевич, шт.-ротм., 9-й гус. Киевский п., ГО- ВП от 31.12.1916. Ф.400. О

ШМИТ Георгий Евгеньевич, подполк., 16-й гус. Иркутский п., ГО — ВП от 11.11.1914. Ф.409. Оп.1. п/с 6001 (

ШМИТ Николай Николаевич, ротм., 15-й гус. Украинский п., 4 ст. — ВП от 10.06.1915. Ф.400. Оп.9. Д.34952.

ШМОНИН Владимир Петрович, полк., 2-й Сибирский каз. п., ГО — ВП от 07.01.1916. Награжден за отл. в 1-м

ШНИТКО Степан Иванович, пор., 1-й Сибирский стр. п., 4 ст. — ПАФ от 09.06.1917. Ф.400. Оп.12. Д.27356. Л.

ШОКЕ Мартин Иванович, полк., ком. 11-го Кавказского стр. п., ГО — ВП от 04.07.1916. Ф.400. Оп.9. Д.34926.

Конечно, «Ш» непредставительная буква, очень немецкая, но все-таки.

Маяковский потешается над немецким словом

мецких фамилий в кадровом офицерстве составляла от 13 до 20 процентов (чем выше чин – тем выше, потому что хорошие служаки). Эти люди были патриотами России, опорой царского престола, и в 1914 году никакой душевной дискордии у них не возникло (в конце концов, ведь и сам царь был, если я правильно посчитал, на 127/128-ых немцем). Однако российским немцам стало неуютно, когда после первых поражений страну охватила волна шпиономании и начались немецкие погромы.

Офицер немецкого происхождения знал, что он обязан воевать лучше других, быть безупречным – вроде как искупать вину за свое происхождение. Возможно, поэтому в списках кавалеров ордена Святого Георгия (высшая военная награда) так много немецких фамилий (см. верхнее фото).

Нижние чины относились к «немчуре» с подозрением, поэтому некоторые генералы и офицеры вслед за Петербургом, переименовавшимся в Петроград, сменили немецкие фамилии на русские. Вероятно, это было трудное и неприятное решение – отказываться от родового имени. Тяжело, наверное, было видеть в газетах и агитационных листках трескучую германофобскую пропаганду – куда ж без нее.

Однако командованию и в голову не приходило устраивать в армии какие-то этнические чистки, а интернированию подлежали лишь германские и австрийские подданные.

Совсем иначе «немецкий вопрос» у нас был решен во время Второй мировой войны. Немцев в стране к 1941 году стало значительно меньше (часть эмигрировала еще в Гражданскую, часть уехала в сороковом году из Прибалтики, часть была репрессирована во время Большого Террора), но все же в СССР жили полтора миллиона тех, кто, по терминологии Третьего рейха, относился к категории «фольксдойче».

На сей раз обошлось без погромов – при Сталине народная самодеятельность не поощрялась. Зато вождь любил репрессировать целые нации. Немцев депортировали в Казахстан и Сибирь почти сразу же после начала войны – просто в качестве превентивной меры. Военнослужащих (а их было немало, 33 тысячи) из армии вычистили. Остались единицы: кто-то замаскировался, назвавшись евреем или сменив фамилию; кого-то оставили в порядке исключения как особо ценного специалиста. Условия были куда более жесткими, чем во время предыдущей войны, поскольку особисты повсюду вынюхивали предателей и с доказательной базой никто не церемонился. Нужно было воевать с удвоенной доблестью и не ждать за это наград, тем более повышения – немцу высовываться, привлекать к себе внимание не рекомендовалось.

Тем поразительней, что некоторые из этих изгоев смогли дослужиться до генеральского чина. Я обнаружил троих.

Это командир артиллерийской дивизии генерал-майор Сергей Волкенштейн, герой Советского Союза (было еще семь немцев-героев). →

Он к прочим несчастьям был еще и из дворян

А. Борман.
По паспорту русский, но какова фамилия?

Бывший штабс-капитан. Очевидно поэтому был принят в партию только в 1939-ом, уже полковником

На верхнем снимке: генерал-майор Александр Борман, командующий 1-й истребительной воздушной армией ПВО.

На нижнем снимке: генерал-лейтенант Николай Гаген, командующий 26-й армией.

Родиться в стране «пролетарского интернационализма», жить ее жизнью и интересами, не отделяя себя от остальных, а потом вдруг узнать, что все вокруг свои, а ты чужой, — этот травматический опыт довелось пережить многим советским нациям, но у немцев потрясение было двойным.

В школе, где училась моя мать, тоже были московские немцы. Про ее одноклассника Леонида Оттовича Винтера, погибшего на фронте, я когда-то писал отдельный текст, но не знаю — возможно, Винтер был еврей. Зато другой ее товарищ точно был немец. Я в детстве часто его видел, он бывал у нас дома. Мать говорила, что в начале войны он служил в армии, потом вдруг исчез и появился вновь лет через пятнадцать. Где всё это время был и что делал, он никому не рассказывал, только улыбался. Семьей не обзавелся, образования не получил, хотя вырос в профессорской семье. Жалко его особенно не было, потому что остальные мальчишки из их класса почти все погибли, а он выжил. Но помню, что было странно. Надо же, он ничем не отличается от нас, думал я. А сам — немец. В те времена, в начале шестидесятых, это все еще было особенное слово, со зловещим звучанием.

Чужие среди своих
(продолжение)

Негодование по поводу того, как Сталин обошелся с советскими немцами, несколько блекнет, когда вспоминаешь, что в той же ситуации Америка, поборница прав человека, повела себя немногим лучше.

В 1941 году в США жили несколько сотен тысяч американцев японского происхождения — так называемые нисэи (это значит «второе поколение», хотя сюда иногда относят и первую, и третью генерацию иммигрантов).

Шок от неожиданного удара по Перл-Харбору и страх перед грозным врагом иной расы, иной культуры, иной психологии были так велики, что президент Рузвельт позабыл об идеалах демократии. Эксперты и советники говорили ему, что японцы плохо ассимилируются, что их эмоциональная связь с исторической родиной крепка, а культ микадо в их среде очень силен. На самом деле это было заблуждением. Японское воспитание сакрализирует чувство благодарности и корпоративность. Своей новой родине нисэи были искренне благодарны, ощущали себя членами корпорации «американский народ» и сумели доказать свою искренность (очень японский термин), несмотря на то, что «корпорация» поступила со своими новыми гражданами скверно.

Сначала нисэев зачислили в категорию 4С («враждебные иностранцы»), а вскоре Рузвельт санкционировал их интернирование. В общей сложности в лагеря попали сто десять тысяч человек.

Американским японцам, так же как русским немцам, пришлось доказывать кровью, что они не подозрительные чужаки, а патриоты. С огромными трудностями нисэи добились разрешения сформировать батальон (потом полк) из

Солдаты этого американского полка ходили в атаку с криком «банзай»

добровольцев. Еще тяжелее было попасть на фронт. Воевать с армией микадо им не доверили — отправили в Европу, драться с немцами. Психологически это, наверное, было правильно.

442-ому пехотному полку пришлось пролить очень много своей крови, прежде чем недоверие было преодолено. Боевые потери этой части были самыми высокими во всей американской армии. За год состав менялся несколько раз. Из четырнадцати тысяч человек, отслуживших в полку, девять с половиной тысяч получили орден «Пурпурное сердце» — аналог нашей нашивки за ранение. После октябрьских боев 1944 года на юге Франции в строю осталось меньше трети солдат. Зато 442-ой стал рекордсменом по количеству наград. 21 человек был удостоен Медали Почета, высшего воинского знака отличия.

После боя

Было много и горечи, и обид. Генерал, которому подчинялся «японский» полк, раз за разом гонял этих не вполне своих солдат в самое пекло, очевидно, жалея их меньше, чем своих. Из-за этого уже после окончания войны произошел неприятный инцидент. Принимая на торжественном построении рапорт командира нисэев, тот самый генерал протянул руку, но полковник лишь поднес ладонь к фуражке, а рукопожатие не принял. Стало быть, не простил.

А недавно у меня появилась возможность взглянуть на эту проблему с другой стороны фронта. Я пообщался с японским писателем Отохико Кага, который написал роман «Корабль без якоря» про одного храброго летчика императорских военно-воздушных сил. Вот этого. →

Не очень похож на японца, правда?

Это майор Рё Курусу (1919–1945). Он был сыном дипломата-японца и американки. Естественно, воевал за свою страну – Японию. Во времена, когда японские города сгорали дотла под американскими бомбежками, человеку с таким неправильным лицом жилось трудно. Вся книга – про то, как трудно доказать своим, что ты свой, если они считают тебя чужим. Финал романа трагический: главный герой, сбитый в воздушном бою, выбрасывается на парашюте – и соотечественники забивают его до смерти, приняв за американца.

Когда-нибудь в энциклопедиях будут писать: «Война (*ист.*) – эпидемическое психическое заболевание непонятной этиологии, в прежние времена периодически поражавшее целые народы».

Печальные приключения французов в России

Когда-то в России жило много иностранцев.

Одни приехали «на ловлю счастья и чинов», другие просто за куском хлеба. Каждый обладал какими-то полезными знаниями (на худой конец мог просто учить своему языку) — иначе зачем бы они здесь сдались?

Многие прижились. В восемнадцатом и девятнадцатом веках Россия была приязненна к европейцам. Во втором поколении семьи обрусевали, начиная с третьего — становились обычными русскими.

Но наступил двадцатый век, и Россия разлюбила соотечественников с иностранными фамилиями. Тяжкие времена для многочисленных русонемцев начались еще при царе, в 1914 году. А потом становилось только хуже. Сейчас французские, шведские или итальянские фамилии у нас большая редкость, и даже немецких, которых сто лет назад было чуть не пол-Петербурга, осталось немного.

Когда я придумывал проект «Б. Акунин», у меня была идея сделать главного героя полицейским врачом, причем непременно с какой-нибудь маленькой экзотинкой. Просматривая уголовную хронику 70-х годов девятнадцатого века, я наткнулся на имя врача московской полиции статского советника Александра Гетье, который был назван «французом». Ага, подумал я. Пожалуй, мой персонаж будет из «понаехавших». Французик из Бордо. Можно обыграть комичный конфликт с туземными нравами, галльскую жовиальность в контрасте со славянской тяжелокровностью, опять же успех у дам, смешное грассирование, эгалите-фратерните.

Я принялся искать дополнительные сведения об Александре Гетье, но попадались лишь упоминания о его потомках. Потом концепция серии поменялась (герой будет русский, но с причудливой фамилией «Фандорин»), и папка «Гетье» была заброшена.

А сейчас наткнулся на старый файл и заинтересовался — не французским уроженцем, его потомками. О них и расскажу.

Сын полицейского врача, статского советника, Федор Александрович Гетье (1863–1938) был человеком известным. Он убедил миллионщика Кузьму Солдатенкова завещать два миллиона на постройку городской больницы. В 1910 году корпуса нынешней Боткинской приняли первых пациентов. Возглавил больницу тот, чьим попечением она была основана, — Ф.А. Гетье. Он был одним из самых известных врачей-практиков своего времени. После Октября стал ведущим специалистом кремлевского Лечсанупра, пользовал многих вождей, у которых считался светилом терапии. Кроме Свердлова, Троцкого

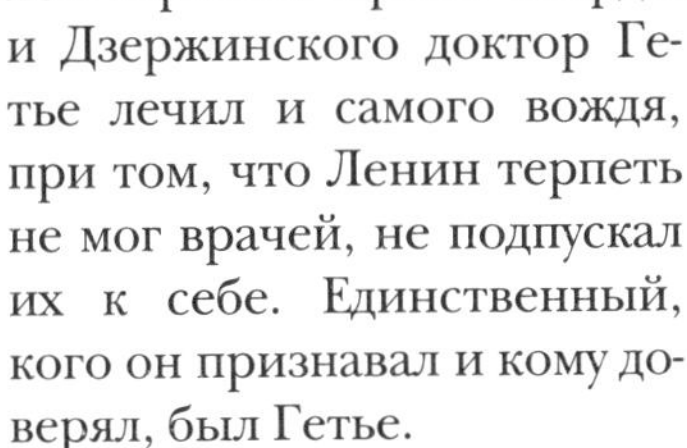

и Дзержинского доктор Гетье лечил и самого вождя, при том, что Ленин терпеть не мог врачей, не подпускал их к себе. Единственный, кого он признавал и кому доверял, был Гетье.

Все помнят ужасную фотографию больного Ленина в Горках.

Полностью снимок выглядит иначе.

Думаю, что справа — доктор Гетье. Во всяком случае, похож.

Там произошла какая-то подозрительная история с протоколом вскрытия Ленина. Гетье подписывать этот документ почему-то отказал-

ся, что породило всякие неприятные для большевиков слухи. У медиков дореволюционной выучки были очень твердые правила врачебной этики. Лечить доктор мог (и был обязан) всех, а вот ставить подпись под сомнительным документом – ни в коем случае. Впоследствии, после опалы Троцкого, слишком принципиальный Гетье был убран из большевистских лейб-медиков.

У Федора Александровича было двое детей. Их биографии тоже не вполне обычны.

Дочь Наталья (1892–1973), знаменитая красавица и спортсменка, перед Первой мировой была чемпионкой Москвы по теннису и состояла в Клубе лыжников. Записалась в сестры милосердия, была на фронте, получила Георгиевский крест (таких женщин очень немного). Всех поразив, вышла замуж за некрасивого офицера с сильным заиканием, поручика Любченко, и вместе с ним воевала в Белой армии. В эмиграции сначала жила в Болгарии, где вновь стала теннисной чемпионкой. Потом оказалась во Франции. Работала медсестрой, дружила с Буниными. Ее фотографии я, к сожалению, не нашел. Пишут, что Наталья Федоровна оставила неопубликованные мемуары. Почитать бы.

От ее брата Александра Федоровича (1893–1938) фотография осталась, но странная (на стр. 143).

Он тоже был спортсмен, но любил не теннис, а бокс. Окончил военное училище, воевал с немцами, потом с красными. Отец выхлопотал бывшему белогвардейцу помилование у своего пациента Дзержинского.

Александр Федорович – один из создателей отечественной боксерской школы. Он был тренером, автором нескольких книг по боксу. Но в 30-е годы страстно увлекся альпинизмом. На фотографии он запечатлен по время знаменитого восхождения на Пик Сталина (7495 м).

В декабре 1937 года спортсмена арестовали и почти сразу расстреляли. Удивляться нечему: бывший офицер, «белый», с иностранной фамилией. К тому же чекистов ни с того ни с сего вдруг охватила параноидальная ненависть к альпинистам — их почти всех тогда репрессировали.

Старый доктор не пережил смерти своего замечательного сына. А дочь, как мы знаем, к тому времени давно уже вернулась обратно на родину предков.

«Россия, которую мы потеряли», говорите? Мы за последний век много Россий потеряли. В том числе и такую.

В нашем городе, на окраине

ам не очень понимаю, почему эта история, далеко не самое страшное преступление сталинизма, так меня пронимает.

Есть в ней что-то совершенно невыносимое.

И ведь не то чтоб я испытывал хоть какую-то симпатию к коммунистам 30-х годов. Если сравнивать их с фашистами, последние, конечно, хуже, но это вовсе не означает, что первые лучше.

23 августа 1939 года немецкие фашисты с советскими коммунистами решили (и справедливо), что у них друг с другом общего больше, чем с западными демократиями. Подписание Пакта Молотова-Риббентропа дало старт мировой войне, и начался кошмар, по сравнению с которым происшествие в Брест-Литовске 2 мая 1940 года должно было бы казаться пустяком. Но не кажется.

Как известно, Сталин был ужасно собой доволен. Всех перехитрил. Заполучит Прибалтику, кусок Польши, Румынии и Финляндии (что Финляндия окажется крепким орешком, он еще не догадывался); стравит европейцев между собой, и они опять, как в 1914–1918, истощат себя нескончаемой войной, а он будет третьим радующимся.

Так был счастлив, что прямо изъюлился весь перед своим новым другом Гитлером. Тот, надо сказать, тоже ликовал (и имел для того более существенные основания). Фюрер даже щедро предложил выпустить в СССР коммунистического вождя Тельмана. Сталин деликатно отказался: ну что вы, что вы, стоит ли утруждаться, мы и так всем довольны. (Потом он точно так же откажется спасти Рихарда Зорге.)

В качестве некоей дополнительной любезности Сталин предложил выдать Берлину политэмигрантов из Германии

Ай, голова! (Молотов подписывает договор Молотова-Риббентропа, за ним Риббентроп, справа Сталин. 1939 г.)

и Австрии – своих товарищей-коммунистов, которым повезло спастись от фашистов.

Правда, большинство из них в 1937–38 годах (тогда мели всех иностранцев без разбора) вместо этого попали в ГУЛАГ, а то и под расстрел. Но пятьсот коммунистов собрали-таки, и Гитлер с благодарностью принял этот дар доброй воли.

История эта, в общем, хорошо известна и новостью для меня не являлась. Просто на днях я случайно наткнулся на одном европейском телеканале на интервью с очень старой дамой и послушал, как всё это происходило. Ну и от некоторых подробностей меня заколотило.

Даму зовут (то есть звали – она давно умерла, интервью было старое) Маргарете Нойманн. Она – вдова одного из лидеров германской компартии, казненного Сталиным. Конечно, сидела где-то как жена врага народа. Всё по полной программе: голод, побои, унижения. И вдруг ее срочно увозят из карагандинского лагеря – и не на допросы, а в санаторий. Там много старых знакомых, все коммунисты. Условия – райские. Лечат, кормят. Больше всего Маргарете, от-

Эти провожали...

выкшую от человеческого обращения, тронула заботливость врачей и персонала. Прямо как с родной обращались.

В общем, подкормили, подлечили, приодели – женщинам чуть ли не шубки меховые выдали. Посадили в поезд,

...а эти встретили

повезли на Запад. Прошел слух, что в Литву или Латвию, а оттуда — на все четыре стороны.

Но нет. Поезд прибыл в Брест-Литовск. И на той стороне моста ждали люди в эсэсовских мундирах...

Почти никто из того поезда живым из концлагерей не вернулся. Маргарете — одна из очень немногих, кому повезло.

Что здесь отвратительнее всего? Конечно, «санаторий». И ведь нам-то, в отличие от западной аудитории, не нужно объяснять этот странный и вроде бы ненужный перерыв между одним концлагерем и другим. А чтоб «за державу не было обидно»! Чтоб не ударить лицом в грязь перед иностранцами, да еще из такой почтенной организации, как гестапо. У советских собственная гордость. У нас и зэки, слава тебе господи, откормленные и нарядные. Потому что у нас всё полной чашей.

Слушал я рассказ везучей старушки и всё гнал от себя выплывшую из какого-то пионерлагерного прошлого идиотскую песню «сиротского» жанра.

В нашем городе, на окраине,
На помойке ребенка нашли.
Ручки вымыли, ножки вымыли
И опять на помойку снесли.

Маргарете тогда была вот такой

Маргарете Ноймани

Нечеховская интеллигенция

В фандоринской повести «Куда ж нам плыть?» есть эпизод с ограблением поезда.

Хотя сцена не очень большая, в процессе подготовки мне пришлось стать экспертом по данному вопросу. Я теперь точно знаю, сколько для такого высокотехнологичного предприятия нужно людей, как между ними распределить обязанности, в какой последовательности действовать, что делать обязательно и чего ни в коем случае не делать. Так что если кому понадобится ограбить поезд с почтовым вагоном, в котором перевозят золотые слитки или банковские мешки с купюрами, – обращайтесь. Всё объясню.

Иллюстрации того, как не надо грабить поезда (добром для участников не кончилось). Постер к фильму «Великое ограбление поезда» 1903 г.

Самое эффективное и гладкое железнодорожное ограбление произошло вовсе не на Диком Западе, как вы могли бы подумать, и даже не в Англии в 1963 году, а в нашей родной Российской империи (хотя не думаю, что это повод для гордости).

1. Взят очень большой куш.

2. Все налетчики уцелели.

3. Они сумели воспользоватся добычей (это не так просто, как кажется).

4. И самое главное: налетчики остались на свободе и спокойно дожили до старости.

Участники описываемого ограбления мало того что спокойно дожили до старости, но еще и...

Хотя нет, не буду забегать вперед. Это в Польше Безданская история хорошо известна, а у нас ее знают мало, поэтому оставлю самое интересное на конец.

Нападение на поезд. Иллюстрация из газеты 1900 г.

Братья Джеймс грабят поезд «Миссури». 1870 г.

Итак.

26 сентября 1908 года, на станции Безданы (сейчас — Бездонис), недалеко от Вильно, на почтовый вагон, в котором везли налоги, собранные в Привисленском крае (так называлась российская часть Польши), напала шайка экспроприаторов.

Часть из них дожидалась на станции, часть ехала в самом поезде. Всего грабителей было двадцать человек.

Действовали они по четкому плану, слаженно и быстро — потому что готовили операцию несколько недель.

Нейтрализовали станционных жандармов; отключили телефон и телеграф; когда охрана почтового вагона начала

Кадр из телефильма «Великое ограбление поезда» 2013 г.

отстреливаться, бросили внутрь бомбу (один охранник погиб, пятеро были ранены). Подавив сопротивление, взорвали сейф динамитом.

И ушли, захватив 200 812 рублей и 61 копейку казенных денег – сумму, которая по золотому эквиваленту соответствовала бы сегодня примерно семи миллионам долларов.

Экспроприацию провела Польская социалистическая партия. У них там существовало правило, согласно которому каждый партиец, даже плюгавый очкарик или нежная девица, должны были непременно принять участие хотя бы в одной боевой акции.

И ограбление в Безданах организовали и провели тоже не профессиональные боевики, а «политики»-интеллигенты в манишках и галстуках. Было там и четыре барышни.

Эта культурная публика сначала почитала книжки, подготовилась теоретически, потом перешла к практическим занятиям.

Ну а дальше всё сложилось по формуле «трудно в учении – легко в бою». У умных, обстоятельных панов с паненками всё получилось идеально.

Героическим борцам с русским царизмом рукопле-

Учебник, по которому они осваивали обращение с «браунингом» скали все свободолюбивые поляки. Литовцы, кажется, обрадовались меньше. Дело в том, что похищенные деньги предназначались на строительство первого виленского трамвая. Не стало денег – рухнул и проект. Город Вильно остался жить с конкой.

Ладно, бог с ним, с виленским трамваем.

Самое интересное в Безданской экспроприации то, что она оказалась кузницей кадров почище кооператива «Озеро». В Польше эту операцию называют «Akcją czterech premierów», потому что четверо из участников впоследствии стали председателями польского правительства.

Посмотрите на них, таких почтенных и солидных. Никогда не подумаешь, что это бывшие подельники по гоп-стопу.

Юзеф Пилсудский, Томаш Арцышевский, Александр Пристор, Валерий Славек

А всё потому, что у польской интеллигенции Чехова не было. Некому было им объяснить: «Через двести-триста, наконец, тысячу лет, дело не в сроке, настанет новая, счастливая жизнь. Участвовать в этой жизни мы не будем, конечно, но мы для нее живем теперь, работаем, ну, страдаем, мы творим ее – и в этом одном цель нашего бытия и, если хотите, наше счастье». Вот они и взялись строить новую жизнь сразу, не откладывая в долгий ящик. Неинтеллигентно взялись, но эффективно.

Две удивительные истории про кроликов

Одну недавно вычитал в воспоминаниях Поля Тибо, генерала Империи.

Однажды маршал Бертье, ловкий царедворец, всеподданнейше пригласил Наполеона в гости. Корсиканец сказал, что охотно пострелял бы кроликов, и спросил, есть ли они в поместье. «Их у меня пропасть, ваше величество!» — воскликнул Бертье, хотя никаких кроликов там отродясь не водилось.

Но усердие всё превозмогает. Маршал приказал управляющему срочно закупить — хоть из-под земли достать — тысячу кроликов.

Генерал Тибо. Слывет правдивым мемуаристом

Император приехал, вышел с ружьем в парк. Бертье подал знак.

Едва Наполеон недовольно поинтересовался, где же обещанные кролики, как буквально отовсюду повыскакивали серые-пушистые и давай метаться по лугу. Это их выпустили из спрятанных за кустами загонов.

— Приготовьте мне побольше ружей, пока лапены не разбежались! — закричал Бонапарт в охотничьей ажитации — никогда еще он не видывал разом столько дичи.

Свита попятилась, чтобы не мешать великому человеку целиться.

Но зверьки повели себя странно. Они сбились в огромный ком и вдруг ринулись в атаку. Целая тысяча маленьких, но очень решительных кроликов — и все на императора!

Генералы, лакеи, охранники кинулись грудью на защиту великого человека. Кнутами, палками, прикладами вроде бы расшугали мелкую шушеру.

Кролики отступили, но потом перегруппировались и предприняли обходной маневр: напали на Наполеона с двух сторон. Стали на него запрыгивать, карабкаться по ботфортам, чуть не сбили с ног. В общем, приключился самый настоящий зоокошмар. Победитель Маренго и Аустерлица был вынужден спасаться от ушастых террористов бегством.

Потом загадка разъяснилась.

Оказывается, управляющий закупил зверьков на самой обычной ферме. Кролики привыкли: тот, кто приближается к загону, кормит их капустой и морковкой. Бегать от такого человека не надо — совсем наоборот...

Прочитал я про то, как кролики чуть не затоптали Бонапарта, и вспомнилась другая история, которую мне рассказывали как подлинное происшествие. Не знаю, не знаю. Продаю, за что купил.

Всё же расскажу, по ассоциации.

В офисе одной московской фирмы, в большом-пребольшом зале, где были густо понатыканы столы для офисного

Ужин удава

планктона, стоял террариум с живым питоном. Красиво, стильно, экзотично. В символическом смысле опять же недурно – для выстраивания правильных отношений менеджмента и рядового персонала.

Вечером охранники запускали в стеклянный куб кролика, рептилия его кушала и потом целые сутки мирно спала.

Но однажды утром первые сотрудники, пришедшие на работу, застали удивительную картину.

Удав не спал, а нервно метался по террариуму.

За столом сидели охранники и поили из блюдечка пивом серого кролика.

Они поведали, что на сей раз «ужин удава» повел себя нетипичным образом. Отказался гипнотизироваться, а вместо этого сам начал наскакивать на змеюку. Не привыкшая к сопротивлению, она ужасно удивилась и напугалась. Забилась в угол. Совсем расхотела кушать.

А еще охранники твердо заявили, что кролик – их друг и что ужинать им никто не будет.

Так что кролики бывают разные.

Вожди и зарплата

Как говорит моя знакомая славистка, эвентуально это будет тост.

Просто с длинным вступлением.

Тема трогательная. И несколько абстрактная, потому что никто из диктаторов и автократов на зарплату, разумеется, никогда не жил и не живет. Зарплата Вождя — понятие политическое, пропагандистское. К земной жизни оно отношения не имеет.

Например, Фидель Кастро однажды заявил в интервью, что получает всего 30 долларов в месяц, потому-де и ходит в военной форме. А я ему верю. В смысле, верю, что такова была его официальная зарплата.

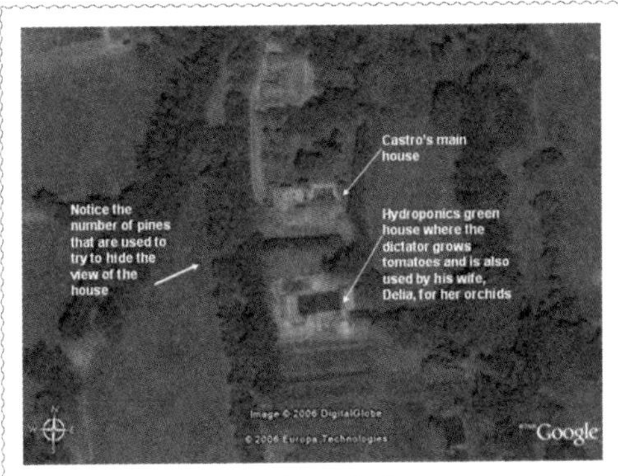

А вот дом, в котором Фидель жил на 80$ в месяц

Или возьмем российского нацлидера. Официально на «функционирование главы государства» отводится 106 млн 401 тыс. 900 рублей в год. Однако в бюджете есть и другая строка: «Функционирование президента Российской Федерации». Чем первое функционирование отличается от второго, я не понял, но разница существенная — второе обходится ежегодно в 8 млрд 19 млн 207 тыс. рублей, то есть в восемьдесят раз дороже [данные 2013 г.].

Впрочем, полагаю, Владимиру Путину деньги не очень-то и нужны. С трудом представляю себе ситуацию, при которой этот человек что-то покупает или с кем-то расплачивается. И уж совсем не хватает фантазии вообразить, как Счетная палата спрашивает с него отчет по расходам, а налоговая полиция интересуется, на какие шиши приобретены, допустим, часы стоимостью в полмиллиона долларов. В авторитарных и диктаторских системах таких неделикатных вопросов не задают.

Но хоть вождь живет на всем готовом и в деньгах вроде бы не нуждается, тем не менее он ведь работает на благо общества и должен получать за это оплату, как все прочие трудящиеся.

Я заинтересовался, какими были законные доходы великих вождей за последние сто лет. Исследование оказалось увлекательным.

Кабинет главреда Б. Муссолини

Бенито Муссолини, представьте себе, вообще обходился без зарплаты. Служил Италии бескорыстно. На «карманные расходы» дуче хватало гонораров и прибыли от официозной газеты «Пополо д'Италия», владельцем которой он являлся.

Довольно остроумно удовлетворял свои финансовые аппетиты Адольф Гитлер. Он с истинно немецким занудством не брал попросту из казны, сколько ему надо, а соблюдал формальности. При этом человек он был с масштабными художественными запросами. Любил архитектуру, мечтал в каждом немецком городе построить по великолепному оперному театру, и чтоб там до посинения исполняли Вагнера. Однако бюджетом эти расходы не предусматривались, фюрер должен был платить за строительство из личных средств. Немалые доходы любителю архитектуры приносила книга «Майн Кампф» – до 4 миллионов марок в год (зарплата у рейхсканцлера была 18 тысяч). Львиную долю тиража выкупало государство – каждая пара молодоженов Рейха получала в подарок по экземпляру этого необходимого в семейной жизни сочинения. Но и на такие доходы много оперных театров не понастроишь. И тогда личный фотограф посоветовал вождю зарегистрировать копирайт на лик, дорогой всем настоящим арийцам.

Тут-то настоящие деньги и повалили. Не столько даже от официальных портретов, которые висели в каждом кабинете и учреждении, сколько от почтовых марок, украшенных физиономией вождя.

Два пфеннига с этой марки — Вождю

Но нам с вами, конечно, интереснее история личных доходов наших собственных правителей.

Официальный заработок Первого Лица, как бы оно ни именовалось (предсовнаркома, генсек или президент), является своего рода термометром, по которому можно определить градус меркантильности той или иной эпохи.

Начиналось всё очень по-спартански. После революции Ленин как глава правительства получал оклад в 500 рублей — не выше, чем квалифицированный рабочий. (Иное дело, что во времена военного коммунизма благополучие определялось не зарплатой, а пайком и разными привилегиями.) Помню еще со школы пример личной скромности Ильича: когда в 1918 году в связи с инфляцией ему увеличили оклад до 800 рублей, чиновник-самоуправец получил за это строгий выговор.

Ученик и продолжатель дела Ленина генсек Сталин поначалу довольствовался 225 рублями. После бесшумного упразднения партмаксимума стал получать 1 200, а с 1947 года, после денежной реформы, десять тысяч (это примерно в двадцать раз выше среднего показателя по СССР).

Скромность — украшение Вождя

Иосиф Виссарионович жил в мире, в котором деньги не существовали. Он сам не получал авторских отчислений за издание своих сочинений (а это сотни миллионов экземпляров на всех языках мира) и не разрешал членам ЦК и народным комиссарам класть себе в карман гонорары за «партийные» публикации. С 1939 года из отчужденного гонорарного фонда высшей номенклатуры стали выплачивать Сталинскую премию (всего ее получили около пяти тысяч лауреатов).

Хрущев положил себе оклад в 8000 (после реформы шестьдесят первого года они превратились в 800) рублей. Это было примерно в десять раз выше средней зарплаты. Отказывался ли Никита Сергеевич от гонораров за свои сочинения, мне выяснить не удалось.

Товарищ Брежнев – тот точно не отказывался. Отчисления шли и за «Малую землю», и за прочие сочинения, глубоко мне ненавистные. (Вас бы заставляли в институте эту нудятину чуть не наизусть зубрить – вы бы их тоже возненавидели.)

Зарплата генсека возросла до 1200 рублей, но авторские, конечно, были во много раз выше. Ведь каждая из частей великой трилогии была издана тиражом по 15 миллионов экземпляров.

Суровый Андропов, который намеревался приструнить зажиревшую номенклатуру, начал с себя: вернул свою зарплату к дохрущевскому уровню в 800 рублей. Ход был сугубо пропагандистский, поскольку гонорары Юрий Владимирович, как и Леонид Ильич, исправно получал. В последний месяц его короткого правления ему начислили ройялтиз в размере 8800 рублей – большие деньги для 1984 года.

Зарплата в 800 рублей, все стремительней и стремительней обесценивавшихся, продержалась все «тощие» годы, когда цены на нефть падали, а социальное напряжение росло. Столько получали и Черненко, и Горбачев. Только став президентом СССР, Михаил Сергеевич увеличил свое денежное содержание до трех тысяч, но в 1990 году это были уже не бог весть какие деньги (я в редакции «Иностранной литературы» получал пятьсот). А настоящая инфляция еще только начиналась.

Борис Ельцин, обожавший популистские жесты, сохранял себе ту же зарплату, превратившуюся в копейки, вплоть до реформы 1997 года. Лишь тогда он поднял президентское жалованье до десяти тысяч, а после дефолта до пятнадцати. По курсу 1999 года это было шестьсот, что ли, долларов. Слезы, да и только.

Столько же – вы не поверите – до 2002 года получал и президент Путин. За минувшие десять лет зарплата высшего должностного лица РФ несколько раз повышалась и остается раз в десять выше среднероссийской. То есть хрущевская идеологическая формула 10:1, выведенная еще полвека назад, сохраняется.

Для сравнения:

Зарплата президента США выше среднеамериканской в девять раз. Зарплата премьер-министра Великобритании выше среднебританской в семь раз. (Зарплата президента Франции выше среднефранцузской всего в четыре раза, но Олланда давайте брать не будем – он демонстративно снизил себе оклад и очень этим горд.)

В общем и целом пропорции у нас и у них сходные. С той только разницей, что глава демократического государства действительно живет на зарплату и попробовал бы только позволить себе личные траты, выходящие за рамки официального дохода. Ух, что началось бы.

А теперь – тост. Вы уже догадались, какой.

Чокнемся (во сне, конечно) с нацлидером и скажем ему: ЧТОБ ТЫ ЖИЛ НА ОДНУ ЗАРПЛАТУ!

Импортный продукт

А ведь находятся люди, которым всё бы ругать тлетворное влияние Запада!

Знаете ли вы, что Любовь – продукт импортный, завезенный в Россию всего лишь десять поколений назад и привившийся на нашей почве небыстро?

Я сделал для себя это открытие, когда в качестве А. О. Брусникина придумывал любовную линию для романа «Девятный Спас», из петровской эпохи. Полез в источники за примерами старорусской любовной лексики – и обнаружил, что таковая отсутствует, ибо никакой любви в нашей стране триста лет назад, кажется, еще не существовало.

Этот лубок наши скопипастили с европейской гравюры

Я имею в виду любовь как чувство, при помощи которого физиологическим отношениям придается возвышенно-романтический сверхсмысл.

В Московии этого понятия, похоже, не было. Жениться женились, блудить блудили, но о чувствах как-то никто не заикался. Все сказки про влюбленных царевичей и оживающих от поцелуя спящих красавицах появились значительно позднее – в основном в 19 веке. А предки обходились без всяких там «я тебя люблю, жить без тебя не могу». Первоначально, в петровские времена, это экзотическое и модное состояние называлось иностранным словом «амур», его завезли в Россию чужеземцы вместе с алонжевыми париками, земляным яблоком и кофеем. Предаваться столь изысканной эмоции можно было лишь где-нибудь на ассамблее, с бритым подбородком и табачной трубкой в руке. Полагалось вздыхать, закатывать глаза и изображать сердечное страдание — такой вот новый тренд возник в узких кругах продвинутой молодежи.

Красивый Кантемир, разочаровавшийся в любовной поэзии

Существуют разные мнения по поводу того, кто был первым русским лирическим поэтом и когда появилось первое любовное стихотворение.

Очевидно, эту славу следует разделить между Антиохом Кантемиром и Василием Тредиаковским. Кантемир начал воспевать любовь чуть раньше. В юности он слагал какие-то «Любовны песни», но они до нас не дошли, а сам поэт, повзрослев, отзывался о подобном сочинительстве пренебрежительно:

Любовны песни писать, я чаю, тех дело,
Коих столько ум неспел, сколько слабо тело.

Зато любовная лирика Тредиаковского сохранилась. Она датирована 1730 годом, который, очевидно, и следует считать официальным рождением Русской Любви:

Без любви и без страсти
Все дни суть неприятны:
Вздыхать надо, чтоб сласти
Любовны были знатны.

Некрасивый Тредиаковский, первый соловей Русской Любви

Прямо скажем, не девяностый сонет Шекспира, но чем богаты.

У меня в этой связи есть вопрос. Ну хорошо, слова «любовь» в его нынешнем смысле на Руси не существовало. Но сама-то любовь была или нет? Замирало ли сердце от восторга и тоски? Разила ли душу магическая молния? Разверзалось ли небо? Останавливала ли Земля свое вращение? Становилась ли жизнь не мила без любимой?

Или же все эти нервно-эмоциональные явления возникли позднее — когда поэты и писатели подробно объяснили читателям, что такое любовь и как должен происходить сей процесс?

Эта версия мне как сочинителю лестна и приятна, но все же берет некоторое сомнение.

Еще раз про любовь

Предыдущая миниатюра вообще-то была троллингом. Я надеюсь, вы не восприняли ее всерьез.

Из институтского курса истории мировой литературы я запомнил, что возвышенная любовь встречается в античной поэзии; потом надолго исчезает под гнетом унылого раннего Средневековья; оживает в восточной литературе; оттуда, веке этак в двенадцатом, попадает на юг Франции, а далее на прозрачных крылах разлетается по всему европейскому континенту.

Но любовь – та самая, заставляющая забыть о земных и даже небесных благах – существовала и до трубадуров, до рыцарского служения Даме Сердца.

Куртуазная любовь

Расскажу историю из совсем глухих времен – про то, как один мужчина, не читавший любовной литературы (за неимением оной), сражался за свою любовь с людьми и даже с самим Господом Богом.

Король Роберт Благочестивый (972–1031), сын Гуго Капета, в 18 лет был вынужден жениться на даме, которая была не то на двадцать, не то на тридцать лет старше. (Из-за разницы в возрасте Роберт, очевидно, и стал таким благочестивым.) Он славился истовой набожностью, сочинял церковные песнопения, сторонился плотских удовольствий. Но в двадцать два года августейший постник встретил Берту, жену графа Блуаского, и влюбился на всю жизнь. Графиня уже имела пятерых детей и по меркам того времени была немолода (27 лет), однако у влюбленных, как известно, зрение устроено особенным образом. Берта показалась королю прекраснейшей из женщин.

Сначала он объявил графу де Блуа войну, чтобы избавить любимую от супруга. Граф очень кстати умер собственной смертью, и король немедленно посватался к вдове. Та согласилась, но хэппи-энда не произошло.

Картина Ж.-П. Лоранса «Отлучение Роберта Второго» (на полу дымится не сигарета с фильтром, а ритуально потушенная свеча)

Церковь запрещала браки между родственниками вплоть до седьмой степени и соблюдала это правило очень строго. Найти приличную невесту европейским монархам было трудно – все правящие дома уже состояли в родстве. Жен приходилось искать за тридевять земель. Один из французских королей, как мы помним, был вынужден заслать сватов аж в Киев, к Анне Ярославне.

А Роберт и Берта были то ли троюродными, то ли четвероюродными. Поэтому папа римский позволения на брак не дал.

И у короля разом всю благочестивость как рукой сняло. Поставив на кон престол, жизнь, даже спасение души, он ослушался его святейшества. Женился.

В ответ папа отлучил Роберта от церкви.

Это была ужасная кара. Всё, чего касалась рука человека, преданного анафеме, считалось оскверненным. Слуги не стирали, а сжигали королевское белье; не мыли, а выбрасывали посуду. Подданные разбегались при виде проклятой королевской четы, прятали детей.

Целых пять лет влюбленные держались. Потом король поумнел. А скорее всего, это жена дала ему хороший совет, потому что мужчины – ужасные дураки и часто ради гонора жертвуют благополучием.

Роберт принес покаяние, развелся и взял другую супругу, однако по нынешним понятиям брак назвали бы фиктивным, ибо жить король продолжал с любимой Бертой. (Это у церкви смертным грехом не считалось.) Влюбленные дожили до старости и умерли в один год. А впрочем, историки путаются в годах жизни столь отдаленных монархов, так что, возможно, всё это не более чем красивая легенда.

Борис Гребенщиков написал про бывшего благочестивого короля известную песню. Там Роберт говорит Господу: послушай, не нужно мне место в Твоем раю,

Только отдай мне ту,
Которую я люблю.

Ну на, коли ты такой, отвечает королю Господь. А насчет места в Моем раю – там посмотрим.

И еще раз

В смысле – про любовь.

Я углубился в чтение файла Love.doc и всё не могу остановиться. Там у меня собраны разные исторические факты о причудах и превратностях любви. Некоторые я уже использовал в романах, другие явно не понадобятся.

Вот, например, история, которая точно не пригодится ни для какого романа. В литературе такое выглядело бы слезовыжимательным китчем. Драматургию подобного накала может себе позволить только реальная жизнь.

Про нравы, царившие в тюрьмах Французской революции, написано немало исследований и художественных текстов. Материал действительно сочный: ужас и скабрезность, кровь-любовь, возвышенное и низменное – всё перемешано.

Консьержери: в ожидании гильотины

В парижской тюрьме Консьержери заключенных обоего пола содержали вместе — во всяком случае, в дневное время двери камер были открыты.

Надежды на спасение у узников практически не было. Выходили отсюда, за редчайшими исключениями, только в одну сторону (см. картинку справа).

И это не было самым страшным финалом. Конец вполне мог оказаться и таким, как на нижней иллюстрации.

Но всё же революция предпочитала соблюдать формальности. Суд работал по тому же конвейерному принципу, что
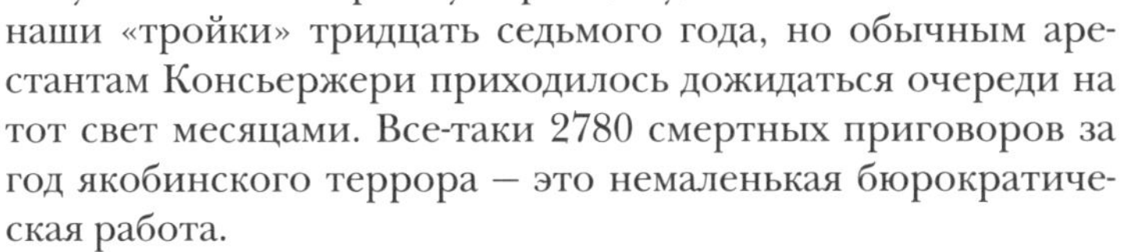
наши «тройки» тридцать седьмого года, но обычным арестантам Консьержери приходилось дожидаться очереди на тот свет месяцами. Все-таки 2780 смертных приговоров за год якобинского террора — это немаленькая бюрократическая работа.

Большинство населения тюрьмы, естественно, составляли «бывшие». Дворяне Старого Режима и раньше-то не отличались строгостью нравов, а уж перед лицом неминуемой

Толпа врывается в тюрьму, чтобы прикончить «врагов народа»

смерти вовсе забыли о пристойности. Очень многие стали искать забвения в плотских радостях. Революционные газеты и лубки смачно живописали невиданное распутство, царившее в казематах, — это подтверждало тезис о моральном разложении аристократии.

Но дело, конечно, было не в разложении. Это жизнь напоследок судорожно спешила урвать своё — пока в дверь темницы властно не постучала смерть.

Однако посреди физиологической истерики время от времени возникала и глубокая, настоящая любовь. Потому что в минуту опасности, как известно, низменные души опускаются еще ниже, а возвышенные поднимаются еще выше.

У тюремной любви времен Террора не было будущего. Впереди ждал не венец, а гильотина. Поэтому влюбленные Консьержери мечтали не о том, чтобы жить долго и счастливо, а о том, чтобы умереть в один день. Невероятной удачей, высшим счастьем считалось, если любящей паре повезет угодить в один и тот же приговорный список. Но в этой лотерее выигрышный билет вытянуть было трудно. Каждый день в тюремном дворе, откуда осужденных увозили на телегах к месту казни, происходили душераздирающие расставания.

И вот однажды кто-то находчивый (история не сохранила имени, даже пол неизвестен) догадался громко крикнуть в момент разлуки: «Да здравствует король!» За столь ужасное преступление казнили без приговора и промедления. Злодея (или злодейку — мне почему-то кажется, что это была женщина) схватили и кинули в повозку. Влюбленные обнялись и поехали на встречу с гильотиной, как к алтарю, совершенно счастливые.

Впоследствии этим ноу-хау в Консьержери пользовались неоднократно.

Ну и скажите, разве современный роман выдержит подобную сцену? «Фи, какая пошлость!» — воскликнет читатель, устыдившись пощипывания в глазах. И будет абсолютно прав.

Я вам рассказал этот болливудский сюжет не для того, чтоб вы всхлипнули, а чтобы сверить свои ощущения с вашими. Когда я впервые прочитал про трагические любовные хэппи-энды эпохи Террора, у меня возникло ощущение, что это (намеренно перехожу на канцелярит, чтоб не сорваться в эмоциональность) не депрессивная, а позитивная информация о человеческой природе.

Попытаюсь рационализировать этот импульс.

В противостоянии Любви и Смерти первая, казалось бы, не имеет ни одного шанса на победу. Даже в брачной клятве говорится: «До тех пор пока смерть нас не разлучит» – мол, дальше, в связи с форс-мажором, все обязательства отменяются.

Так-то оно так, но всякий раз, когда любовь оказывается сильнее страха смерти, а любящие предпочитают расставанию совместное путешествие в Неизвестность, выходит, что Смерть хоть и получила двойную добычу, но не выиграла, а проиграла.

Большие знатоки в этом вопросе – японцы с их традицией двойного самоубийства влюбленных «синдзю». Но о синдзю как-нибудь в другой раз.

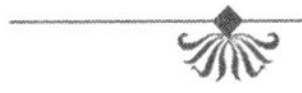

Сватовство майора

В издательстве «НЛО» есть замечательная серия «Россия в мемуарах». Я являюсь постоянным потребителем этой книжной продукции — она будто создана специально для людей вроде меня. (Судя по тиражам, нас таких на свете немного.)

Ужасно интересное чтение — воспоминания предпринимателя Николая Варенцова (1862–1947) «Слышанное, виденное, передуманное, пережитое», которые были написаны в глухие советские годы для домашнего употребления (большинство интересных и честных мемуаров именно так и созданы).

Н. Варенцов. Умного человека видно по глазам

В книге со знанием дела показана жизнь купеческой России, особой субкультуры, так много значившей и так много сделавшей для страны. Множество поразительных судеб, ярких личностей, невероятных историй описывает умный, спокойный автор, обладающий феноменальной памятью и не склонный к привиранию (это всегда чувствуется).

Один сюжет хочется пересказать. Он поразил меня тем, чем всегда поражает подлинная жизнь: незарифмованностью событий. Обычно, если нам что-то рассказывают, мы, будучи людьми начитанными и умудренными, заранее начинаем кивать головой: мол, как же, как же, можете не продолжать, знаю, чем этакие фабулы заканчиваются. В литературе всё именно так и случается. В жизни – необязательно.

Жил-был на окраине Москвы отставной офицер – одинокий, немолодой, бедный. Окна его домика выходили на кладбище Покровского монастыря, где в 19 веке часто хоронили купцов. Майор просиживал на этом наблюдательном пункте с утра до вечера. Как завидит похоронную процессию попышней и помноголюдней, сразу – мундир, ордена. Ввинтится в толпу скорбящих, давай раскланиваться направо-налево. Через несколько минут вроде как уже свой. Опять же высокоблагородие, купечество смотрит с уважением. Никто не удивлялся, что почтенный человек отправляется вместе со всеми на поминки. Там майор как следует закусывал, выпивал, учтиво прощался и возвращался домой, считая, что день удался. Такая в общем была у него жизнь.

Однажды, рассказывает Варенцов, этот самый отставной майор Берг пристроился к особенно помпезным похоронам. Узнал, что умер промышленник Ершов, оставивший после себя большущий капитал, который достанется силь-

Покровский монастырь – кормилец отставника

но хворой, к тому же еще и горбатой дочке. И что-то такое у Берга в его немецкой голове щелкнуло, как в арифмометре. Подкатился он к карете, помог вдове спуститься с подножки. Сказал, что является давним приятелем незабвенного Прова Самсоныча (или как там звали покойника). Вдова пригласила в дом, помянуть усопшего.

На поминках майор проявил себя сахаром медовичем, хозяйке ужасно понравился, и она пригласила его заходить еще. Он – с удовольствием. И вскоре посватался к юной инвалидке, которая, несмотря на свое богатство, не чаяла когда-либо выйти замуж.

«Ну дальше понятно, – говорит здесь читатель. – Продолжение этой злой сказки можешь не рассказывать. Скользкий и бесстыжий гад этот ваш Берг! Бедную девушку он, конечно, быстренько свел в могилу, а приданое пустил на ветер».

А вот и нет, дорогой читатель.

Горбунья действительно через несколько лет умерла, потому что была сильно нездорова. Но за эти годы родила мужу несколько детей и жила с ним как-то очень счастливо. Берг не растранжирил ершовские капиталы, а совсем наоборот: переписался из потомственных дворян в купеческое сословие, взял управление предприятием в свои руки и развернул дело до невиданных масштабов.

Автор пишет, что весь остаток жизни, каждый день, Берг с утра ездил на могилу жены и отстаивал панихиду в ее память, а уж потом отправлялся в контору вершить дела.

Дочитав трогательную притчу, я сказал себе: «Умилительно, но смахивает на приукрашенную легенду. Проверим-ка, как оно было на самом деле».

Представьте себе, именно так всё и было. Павел Васильевич Берг (1818–1894) был, поправка, не отставным майором, а отставным подполковником. Прочее же всё истинная правда. К концу жизни П. В. Берг владел золотыми приисками, заводами, текстильными мануфактурами. Жена похоронена на Покровском кладбище, рядом с которым я прожил много лет. На месте монастырского погоста в мои времена

находилась спортплощадка, где я скакал с теннисной ракеткой – выходит, по костям счастливой горбуньи.

Там много подобных историй, в варенцовских мемуарах. Рекомендую.

Три историйки

Эти три историйки тоже из моего резервного файла – занятные, а для работы не нужны.

Одна хулиганская, две остальные (для равновесия) похоронные, про поэтов.

Флэш-моб двухсотлетней давности

Ошибаются те, кто думает, что флэш-мобы – современное изобретение. Зимой 1818 года Париж оказался охвачен озорным (если не сказать «дурным») поветрием – «эпидемией уколов».

Полагалось где-нибудь в людном месте – на Риволи или в саду Пале-Рояль – подойти сзади к гуляющей даме или барышне (непременно молодой, из «приличного общества») и уколоть ее в ягодицу чем-нибудь острым: длинной иглой, заостренным кончиком зонта, тонким ножиком. После этого «укалыватель» немедленно пускался наутек. Уколотая, натурально, начинала кричать или падала в обморок (во времена тугих корсетов женщины лишались чувств при всяком внезапном стрессе), а если особенно повезет, бедняжка в шоке задирала юбку и начинала осматривать ранку – при полном восторге публики.

Не установлено, что за идиот первым ввел в моду этот жестокий аттракцион, но вскоре о новой забаве говорил уже весь город. В аптеках с успехом продавали специальный бальзам «для мгновенного заживления ран на нежных частях тела». Предприимчивые ремесленники стали предлагать специальные «напопные панцири», изготавливаемые «по индивидуальным контурам» и незаметные под платьем.

Даме примеряют панцирь

Обеспокоенная полиция разработала спецоперацию: наняла двадцать проституток, которые должны были за 5 франков в день, переодевшись приличными дамами, прогуливаться в людных местах и провоцировать «укалывателей» своими дерьерами. Однако из этого «лова на живца» ничего не вышло. Никто не обманулся, никто не клюнул. Вероятно, мобилизованные помощницы правопорядка слишком старательно выпячивали приманку.

Поветрие закончилось, когда один из хулиганов, 35-летний портной, был схвачен на месте злодеяния и получил по суду пять лет тюрьмы. Желающих пошутить за столь высокую плату после этого уже не находилось.

Вознесся выше я главою непокорной

Поэт Бен Джонсон (1572–1637) похоронен в Вестминстерском аббатстве, в «Уголке поэтов».

Могила как могила. Казалось бы, ничего примечательного, если не считать описки в имени (вообще-то он Jonson, а не Johnson). Но этот шальной, безалаберный человек даже из собственных похорон устроил безобразие.

Жизнь поэта должна была оборваться еще в 26-летнем возрасте: его приговорили к смерти за убийство в драке актера Гэбриэля Спенсера. Однако по тогдашнему закону человек, знавший латынь, мог избежать казни — ему просто ставили на палец клеймо «M» (в смысле «murderer»). Вот как надо стимулировать в людях тягу к знаниям!

Однако я отвлекся. Не про жизнь Джонсона я собирался вам рассказать, а про его смерть.

К старости поэт стал знаменит, но из-за привычки к беспутной жизни не накопил ни гроша. А быть похороненным в Вестминстерском аббатстве ему ужасно хотелось. Джонсон сказал настоятелю, своему доброму знакомому, что может оплатить лишь крошечный склепик, 2×2 фута. Простодушный священник согласился, полагая, что на таком пятачке может быть установлена только памятная табличка.

Как бы не так. Согласно завещанию, Джонсона захоронили стоймя. Так он там и возвышается, один над всеми поверженными коллегами.

Вроде бы очень респектабельно — «Уголок поэтов в Вестминстерском аббатстве»

Горбатого и могила не исправит

В лондонском соборе Святого Павла сохранился памятник Джону Донну, переживший великий пожар 1666 года. Изваяние находится в храме не потому, что Донн был выдающимся поэтом, а потому, что он много лет служил здесь настоятелем.

В позднюю пору жизни Донн стал очень набожен, прежних поэтических увлечений стыдился, проводил много времени в молитвах. Надгробие он заказал себе еще при жизни (тогда это было модно). Позировал скульптору, завернувшись в саван.

Но настоящий поэт — всегда поэт. Даже если сильно воцерковился. На постаменте высечена совершенно не благочестивая самоэпитафия, превосходящая краткостью и изяществом любое хокку:

Внизу (здесь не видно) на мраморе осталась копоть от пожара

John Donne, Undone.

Мой вариант перевода (прямо скажем, не идеальный):

Динъ-дон, Джон Донн.

(Имеется ввиду, что на сей раз колокол звонил по тебе, почтенный автор строк, Dan't ask for whom the bell tolls.)

Красавица и старость

Старение мало кому дается легко.

Но труднее всего с этим испытанием справляются красавицы. Это неудивительно — ведь они теряют гораздо больше, чем обыкновенные женщины и тем более дурнушки, а приобретают то же самое: болезни, слабость, неприязнь к зеркалу.

Красавицам тяжелее преодолевать ролевые барьеры, которые помогают приспосабливаться к меняющимся жизненным обстоятельствам: возлюбленная — мать — бабушка. Многие красавицы вообще остаются бездетными, потому что слишком лелеяли свою драгоценную ослепительность.

В детстве я видел двух старух, про которых говорили, что в прошлом они были невероятными красотками.

Одна жила в соседнем подъезде. Во двор она выходила размалеванная вкривь и вкось: какие-то шляпки-шарфики, глаз не видно под огромными солнечными очками, ядовито-красная помада, тонко и неровно выщипанные брови. Поверить, что это когда-то считалось красавицей, было невозможно.

«Портрет Констанции Майер», Пьер-Поль Прюдон (1804)

Другая — знакомая моей бабушки — лишь слегка подкрашивала взбитые вверх седины голубым (я тогда думал, что это естественный цвет); на груди у нее была камея, и сама она тоже была похожа на камею. Смотреть на эту даму мне нравилось. Как она выглядела в молодости, мне было даже неинтересно. Я и так видел: красавица.

Вот что это такое — женское умение красиво стареть? (Про мужское я примерно себе представляю.) Просто ум, или воспитание, или инстинкт, или особое ноу-хау? Может быть, просто дар такой — быть красивой в любом возрасте?

Покажу вам несколько картинок из жизни красавиц, победивших старость — или проигравших ей.

Ей было 46 лет — по меркам 1821 года почти старуха.
Смерть Констанции Майер, гравюра

Посмотрите на это лицо, полное прелести, жизни и любви (на предыдущей странице).

Это художница Констанция Майер, подруга другого художника, Пьера-Поля Прюдона, нарисовавшего этот портрет.

Они жили вместе много лет, не связывая себя брачными узами (ну, оба художники, понятно). А потом краса Констанс стала увядать. Бедная женщина смотрела в зеркало, рыдала и повторяла: «Я безобразна! Моя молодость ушла!» И в конце концов взяла да и перерезала себе горло бритвой.

Многие европейские барышни воскликнули: «Ах, я тоже так сделаю, если доживу до столь преклонных лет!» (Правда, к тому времени, когда эти романтичные девицы достигли возраста Констанции Майер, байронизм уже вышел из моды, что, вероятно, спасло немало женских жизней.)

Клео де Мерод (1900)

На этом фотопортрете ей 85 лет (1964)

Далее – главная красавица Прекрасной Эпохи Клео де Мерод. (Звание почти официальное: в 1900 году был выпущен альбом «Сто тридцать первых красавиц Европы», и Клео была из них самая что ни на есть первая.)

На свете она прожила девяносто один год и на закате жизни выглядела тоже весьма недурно. Причем, как вы можете заметить, нисколько не молодилась. Во всяком случае, мой неискушенный глаз не обнаруживает на этом старом, но привлекательном лице следов мучительных реставрационных работ.

В следующем десятилетии звание Главной Красавицы принадлежало Лилиан Гиш.

Эта дама тоже как-то без особенных трагедий пережила осень. Снималась в кино до 93-летнего возраста, а умерла на сотом году жизни, во сне.

Совсем другой алгоритм старения, как известно, выбрала Главная Красавица Тридцатых Грета Гарбо.

Стареть на глазах у всех Великая Гарбо не пожелала – всю вторую половину своей долгой жизни просуществовала затворницей. Отказывалась сниматься в кино, избегала появляться на людях, не позволяла себя фотографировать. Это, конечно, не по горлу бритвой, но тоже своего рода суицид, похороны заживо.

Лилиан Гиш (1926?)

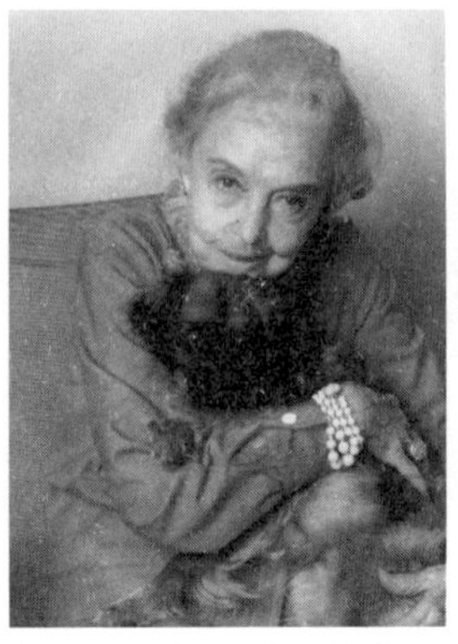

Лилиан Гиш. Все равно красивая, правда? (1983)

Грета Гарбо. Над таким взглядом, вероятно, надо было долго работать

Изредка особенно шустрым папарацци удавалось исхитриться и щелкнуть старушку (в Интернете можно выловить эти снимки), но я фотографию старой Греты Гарбо здесь помещать не буду. Ну не хотел человек показывать публике свое состарившееся лицо — отнесемся к этой причуде с уважением.

Викторина с ответами

Проведем небольшую книжную викторину?

Кто из писателей абсолютный рекордсмен по количеству опубликованных произведений? И сколько их у этого стахановца (или этой стахановки) пера?

[Испанская писательница Корин Тельядо (1927–2009) выпустила за 60 лет безостановочной писанины более 4000 (четырех тысяч) повестей.

Нетрудно посчитать, что книги она писала со средней крейсерской скоростью 1 шт./нед., и даже быстрее. Без отпусков. Повести сплошь любовные. Не читал ни одной, но подозреваю, что любови в них описаны какие-нибудь не очень длинные].

Восхищаюсь Корин Тельядо!

Шекспир — чемпион!

У какого автора самый большой суммарный тираж книг (и какой)?

[Шекспир – 4 миллиарда. Почти столько же у Агаты Кристи. Мир, увы, в основном читает по-английски и переводит тоже с английского].

У какого романа самый большой суммарный тираж?

[Представьте себе, у «Истории двух городов» Диккенса (200 миллионов). Этот роман я никогда не мог дочитать до конца, теперь стыжусь].

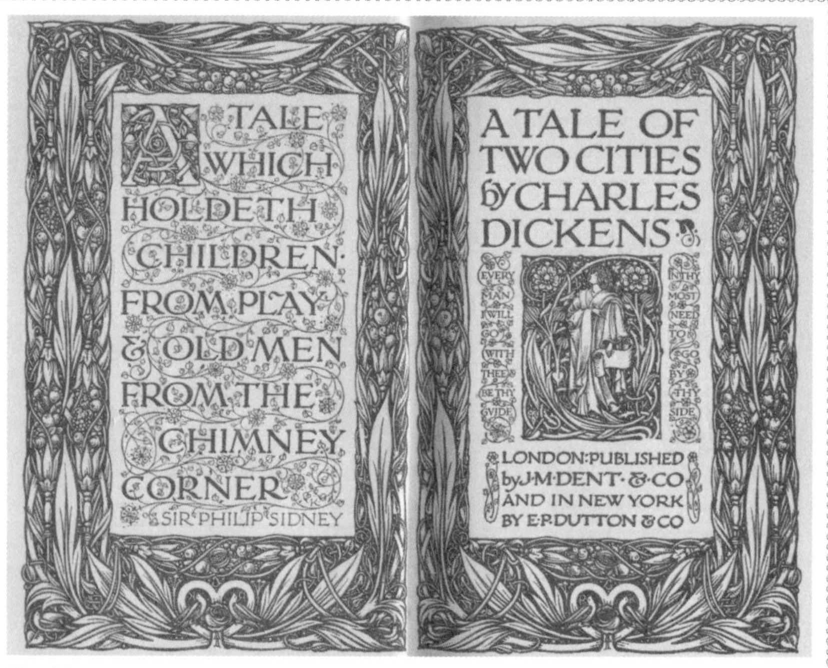

A TALE WHICH HOLDETH CHILDREN FROM PLAY & OLD MEN FROM THE CHIMNEY CORNER
SIR PHILIP SIDNEY

A TALE OF TWO CITIES
BY CHARLES DICKENS

EVERYMAN I WILL GO WITH THEE & BE THY GUIDE
IN THY MOST NEED TO GO BY THY SIDE

LONDON: PUBLISHED BY J·M·DENT & CO
AND IN NEW YORK BY E·P·DUTTON & CO

Но французы тоже его не читают, хотя роман про Францию. «История двух городов», издание 1921 года

Какой самый длинный роман всех времен и народов?

[Марсель Пруст «В поисках утраченного сами-знаете-чего». Там 1,2 млн слов (вдвое больше, чем в «Войне и мире»)].

Миллион слов.
Тома «В поисках утраченного времени» Марселя Пруста

Кто сегодня самый высокооплачиваемый автор?

[Это не особенно читаемый у нас, но очень популярный в англоязычном мире Джеймс Паттерсон. В прошлом году он заработал аж 84 млн долларов. Паттерсон — книжнорыночный гений, постоянно меняющий технологии и стратегии. Вот у кого есть чему поучиться. Например, он придумал новый тип литературного франчайзинга: пишет в соавторстве с успешными туземными писателями разных стран. Всем выгодно — Паттерсон продвигает свои переводы на данном рынке, используя местного автора как паровоз, а иностранец благодаря Паттерсону попадает на американский рынок и вообще в «Суперлигу». В свое время агент писателя и ко мне обращался с подобным предложением, но змея-гордыня помешала. Да и не получилось бы ничего путного].

Современный писатель № 1.
Джеймс Паттерсон,
фото

Какая книжка самая дорогая на свете?

[Записная. Писал и (рисовал в ней) Леонардо да Винчи, а купил ее Билл Гейтс. За 30 млн долларов].

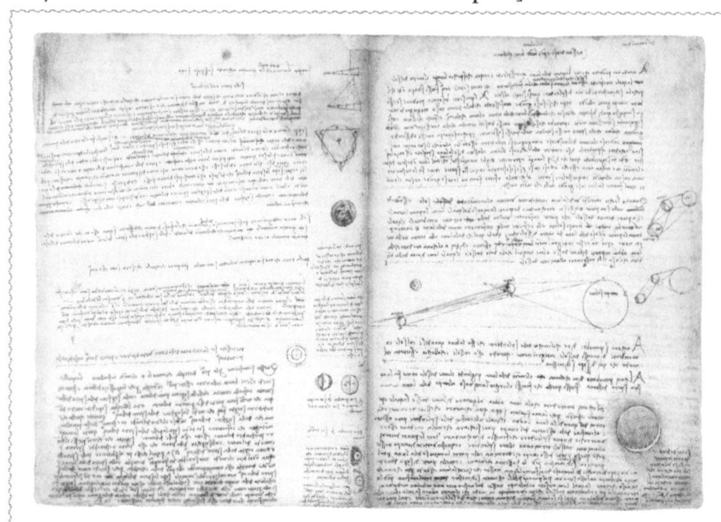

Недорого. Для среднестатистического москвича, который в 3 миллиона раз беднее Гейтса, это все равно что 10 долларов.

Кто самый издаваемый русский писатель?

[Правильно, Толстой. Около 400 миллионов экземпляров издано по всему миру].

Я тоже Льва Николаевича люблю больше, чем Федора Михайловича. Портрет Л.Н. Толстого, Николай Ге (1884)

Но самый главный русскоязычный бестселлер отнюдь не «Война и мир», а...

[«Как закалялась сталь» Николая Островского – роман, который никто из молодых, я полагаю, не читал. А между прочим, 36 мильонов тиража, не считая переводов на языки бывших братских народов].

В мое время Н. Островского в тебя запихивали насильно, поэтому любить его было трудно. Интересно, читается ли он сейчас?
Марка почты СССР, посвященная Н. Островскому (1964)

В качестве бонуса за проделанную умственную работу расскажу вам историю о самом эффективном промоушне книжного издания.

У сына английского короля Фредерика, герцога Йоркского, была любовница Мэри-Энн Кларк, которую он, как положено, поматросил-поматросил и бросил, причем без выходного пособия. Жаловаться ей было некуда и, в общем, не на что, да и какой суд принял бы к рассмотрению такой иск против принца?

Писательница и предмет ее вдохновения

Поэтому Мэри-Энн поступила креативно, опередив эпоху лет на двести. Она написала книгу о своих отношениях с его высочеством, присовокупила любовные письма Фредерика (он был большой шалун), отпечатала тираж за свой счет. И отправила сигнальный экземпляр главному персонажу повествования.

На герцога книга, очевидно, произвела сильное впечатление. До такой степени, что он немедленно выкупил весь тираж (для 1809 года астрономический – десять тысяч экземпляров) и удовлетворил все финансовые притязания госпожи Кларк – в обмен (как выразились бы современные юристы) на полную переуступку прав.

Других читателей у этой книги так и не появилось. Весь тираж был предан огню. А интернета, куда непременно слил бы текст какой-нибудь работник типографии, на счастье герцога, тогда еще не существовало.

И еще три истории

Продолжаю следовать золотому правилу: вычитал что-то интересное — поделись с товарищами. Делюсь.

1. Диктатор в пробке

Все знают, чем закончилась связь Муссолини и его верной любовницы Кларетты Петаччи.

Но любопытно, как началось их знакомство. Однажды в 1932 году, недалеко от Остии, Кларетта с женихом и ее сестра застряли в жуткой автомобильной пробке. И вдруг увидели в соседней машине самого Дуче, сидевшего в «альфа-ромео». Два автомобиля какое-то время тащились бок о бок, «...но затор сделался плотнее, и на 19-ом километре мы окончательно встали, — вспоминает сестра. — Кларетта вышла и, ведя за руку своего жениха, подошла к машине Дуче...». Ну, про то, о чем они разговаривали и как со сцены исчез жених, уже не столь интересно. Впечатляют сами обстоятельства. К этому времени Муссолини диктаторствует уже целое десятилетие, он — вождь и кумир миллионов. Однако тащится вместе со всеми в пробке, и девушка может подойти к нему, чтобы излить восторженные чувства.

Бедная Кларетта... Трупы Муссолини и Клары Петаччи (1945)

Представим себе на минутку подобную ситуацию где-нибудь на Рублево-Успенском шоссе. «Владимир Владимирович, я ваша давняя поклонница! Раз уж мы всё равно тут застряли, давайте познакомимся!»

2. Другая война

Многие, наверное, смотрели классический батальный фильм «A bridge too far» — про самую крупную в истории воздушно-десантную операцию под голландским городом Арнгеймом. В сентябре 1944 года союзники высадили в немецком тылу 35 тысяч парашютистов, чтобы захватить мосты через Рейн. Не буду пересказывать военные подробности. Операция закончилась катастрофой, потери были огромными. 22-я английская бригада оказалась в полном окружении, вела упорные бои.

В какой-то момент старший врач с белым флагом отправился к немцам и сказал, что у него сотни раненых, которым не оказывается помощь. С этим надо что-то делать, нельзя ли устроить двухчасовое перемирие.

Самое поразительное, что немцы не только согласились прекратить огонь, но еще и выделили санитаров, которые вынесли в безопасное место 500 человек...

Британские парашютисты сдаются в плен (1944)

Все-таки у них там была какая-то другая война. Совсем не похожая на ту, про которую мы читали в наших книгах или про которую рассказывал мне отец.

3. Беда от нежного сердца

Чудесная, прямо хармсовская история про Чайковского.

Как известно, великий композитор был человеком трепетным, легко ранимым. Любил поплакать, сторонился не-

Б. Корсов. Попробуй такому откажи

приятных людей и конфликтных ситуаций, не умел отказывать. Кое-кто этой слабостью характера беззастенчиво пользовался.

Некий Корсов, оперный певец, долго приставал к Чайковскому, чтобы тот написал для него специальную вводную арию. Петр Ильич всячески увиливал, но сказать решительное «нет» не хватало духу.

Однажды Корсов заявился с нежданным визитом, чтобы «дожать» гения. Слуга, следуя полученному указанию, сказал, что барина нет дома. Ничего, отвечал настырный баритон, я подожду – и прошел прямиком в кабинет.

Услышав шаги, хозяин пришел в ужас: сейчас он окажется в невозможном положении – его уличат во лжи!

И залез под диван.

Корсов уселся на этот самый диван и торчал там до тех пор, пока у него не закончилось терпение. А терпения у этого человека было много.

Понятно, что в таких условиях вылезать из-под дивана было совсем уж невозможно, и бедный Чайковский целых 3 (три) часа дышал пылью, боясь пошевелиться.

Самое занятное, что арию для Корсова он все-таки написал.

Ах, трудно жить на свете человеку с нежной душой!

Эксгумация книги

Одно время я подумывал написать книгу об истории колониальных захватов.

Меня интересовали не исторические подробности, а то, как рождаются, живут и умирают империи. Почему одни из них существуют долго, а другие быстро рассыпаются? И как может выглядеть «правильная империя», которая простоит века?

Когда-то я с интересом прочитал книгу Егора Гайдара «Гибель империи». В этом глубоком, безукоризненно логичном сочинении меня не устроило лишь одно: определение термина «империя». Оно показалось мне в корне неверным, а поскольку именно на этом фундаменте держатся все последующие выводы, согласиться с ними мне было трудно.

По Е. Гайдару, империя — это «мощное полиэтническое государственное образование, в котором властные полномочия сосредоточены в метрополии, а демократические институты (если они существуют) — либо, по меньшей мере, избирательное право — не распространяются на всю подконтрольную ей территорию».

А по-моему, империя нечто совсем иное. Ни полиэтничность, ни наличие/отсутствие демократических институтов прямого касательства к сущности империи, мне кажется, не имеют.

На мой совершенно ненаучный взгляд, империя — это некий энергетический взрыв, это газообразная экспансия во внешнее пространство, которая в идеале стремится занять весь возможный объем, то есть вобрать в себя планету целиком (хоть ни одной из империй выполнить эту миссию до конца еще не удавалось). Характерным признаком государства имперского типа является его «велосипедность», то есть мобильность и неустойчивость: империя либо катится вперед, и чем быстрей, тем увереннней, — либо заваливается.

Как только она перестает расти и укрепляться, немедленно начинается ослабление, распад.

При всем либерализме своего мировоззрения я прекрасно понимаю, что в геополитике действуют простые биологические законы: сильные кушают слабых; идет непрекращающийся естественный отбор; жизнестойкость наций и государств постоянно подвергается проверке на выживаемость. Мой либерализм не покушается на эти основы геополитической эволюции. Я лишь хочу, чтоб взаимоотношения больших и малых стран не имитировали встречу рейдера-Волка с Красной Шапочкой из старого анекдота.

(Волк встречает в лесу аппетитнейшую Красную Шапочку и, похотливо облизываясь, говорит вкрадчивым голосом: «Ну, что у нас будет? Дружественное слияние или враждебное поглощение?»)

Книгу под условным названием «Колонизация» я не написал и не напишу. Имеет смысл тратить силы и время на сочинение подобного жанра, только если рассчитываешь в ходе написания отыскать ответ на головоломный вопрос.

Две недолговечные военные империи (Кукрыниксы, 1941)

Я же в какой-то момент проблему «правильного империализма» для себя решил, и необходимость пыхтеть над многостраничным трактатом отпала.

Если коротко изложить суть концепции, выстроившейся у меня в голове, получится примерно следующее.

Завоевание бывает трех видов. Самое ненадежное и кратковременное – военное.

На тупом насилии ничего прочного не построишь. Поэтому «военные империи» разваливаются быстрей всего.

Более эффективно завоевание экономическое: это когда Красная Шапочка заинтересована в «дружественном слиянии» из прагматических соображений – жизнь под покровительством Волка представляется ей более сытной.

Европа радуется «Плану Маршалла»

…Был он Гришей, но сейчас носит имя Гарри…
Практически про меня.
(Карикатура Е. Горохова)

Однако самый надежный и мощный способ распространить свое влияние на чужеземные края — это «завоевание любовью», то есть культурная экспансия. Когда жители других стран начинают интересоваться твоей культурой больше, чем своей, влюбляются в нее, у них возникает желание жить так же, как ты, — стать частью тебя, слиться с тобой в одно целое, притом по страстной любви. Именно этим способом Запад одержал победу над социалистическим лагерем в «холодной войне» — не при помощи ракет, а благодаря Голливуду, «Битлз», джинсам, гамбургерам и прочим кисс-ми-квикам. (В этом смысле я очень даже империалист, мечтаю о реванше и экспансии российской культуры — разумеется, в лучших ее образцах.)

Свое не особенно революционное открытие о «правильной колонизации» я вставил в уста какого-то персонажа (в романе «Алмазная колесница»), после чего тему для себя закрыл: и так всё ясно.

Но материал-то остался. И довольно любопытный.

Для начала расскажу про двух русских диктаторов.

Россия, которую мы потеряли

Одна из самых любопытных тем в истории колониальных захватов — это «варварские» (разумеется, с европейской точки зрения) государства, которым по счастливому стечению обстоятельств удалось сохранить — или долгое время сохранять — независимость.

Таковы, например, Сиам (Таиланд) или Абиссиния (Эфиопия). На фоне тотального дележа территорий меж великими державами чудом уцелело несколько таких оазисов, и в каждом возникла чрезвычайно любопытная культурная ситуация, отчасти напоминающая раннепетровскую Россию — живописный меланж западного декора и туземных традиций.

Статуя Камеамеа I в Гонолулу (1880)

Не дожило до двадцатого века, но продержалось почти весь девятнадцатый Гавайское королевство, которое признавали и с которым поддерживали дипломатические отношения все ведущие государства. Единственная причина, по которой «дикарская» страна в те хищнические времена могла сохранить независимость, — умение за себя постоять. У короля Камеамеа Великого (1810–1819) была сильная армия, вооруженная ружьями, и неплохой флот.

Правящая династия островов, где еще совсем недавно слопали капитана Кука, за несколько поколений европеизировалась и облагообразилась до неузнаваемости.

Портрет Камеамеа III

Камеамеа Первый выглядел еще аборигеном, а его сын уже по-европейски (слева).

Гавайской монархией я заинтересовался еще с тех пор, когда изучал биографию адмирала Того, цусимского победителя, и вычитал, что он одно время состоял адъютантом при его высочестве гавайском принце, и это считалось для блестящего морского офицера большой честью.

Но Япония от Гавайев сравнительно недалеко. Гораздо неожиданней след, оставленный на другом конце света нашими соотечественниками. Один из них – прямо персонаж альтернативно-исторического романа.

Антон-Георг Шеффер, немецкий уроженец и российский подданный, был человеком фантазийным, предприимчивым, не мог долго оставаться на одном месте и вечно со всеми скандалил. Бильярдным шаром карамболил он по всему свету. Шеффер успел послужить в русской армии и полиции, в 1812 году представил проект войны с Наполеоном посредством воздушных шаров, потом стал судовым врачом и был высажен на Аляске из-за ссоры с капитаном корабля. Знаменитый Александр Баранов, хозяин русской Америки, обладатель такого же крутого нрава, счел Шеффера родственной душой и взял в помощники.

Памятник Баранову на Аляске

В 1815 году «Антон Георгиевич» Шеффер прибыл на Гавайи в качестве полномочного представителя Российско-американской компании для переговоров с великим королем Камеамеа.

Несмотря на пестроту трудовой книжки, врачом

Тихий гавайский Дон

Шеффер был превосходным. Сначала избавил от желтой лихорадки королеву, за что получил от их величеств десять овец и сорок коз. Затем перебрался на остров Кауаи и вылечил от каких-то хворей тамошнего царька. Царек недолюбливал властолюбивого Камеамеа и мечтал выбраться из-под его тяжелой десницы. Недолго думая, Шеффер предложил сепаратисту вступить в российское подданство, что и произошло. Правитель Кауаи принес присягу Александру Первому. На острове поставили православную церковь и три форта: Елизавета,

Портрета Шеффера я не нашел. Будем считать, что он — один из вельмож, приютившихся у ног великолепного дона Педро

Александр и Барклай. Местную реку Ханапепе переименовали в Дон.

У Шеффера были грандиозные планы. Он хотел создать на Гавайях российскую морскую базу для дальнейшей экспансии по всему Тихому океану.

Через пару лет выяснилось, что славный доктор действовал по собственному почину, не имея на то никаких полномочий. Самоуправца с Гавайев турнули, русский флаг спустили. Реку переименовали обратно.

Обиженный лекарь перестал служить неблагодарной России и перебрался в Бразилию, где впоследствии блистал при дворе императора дона Педро и окончил свои дни обладателем графского титула. Но это уже оффтоп, поэтому passons.

Нет, вы только представьте! Была бы у нас сейчас этакая отдельно плавающая средь тихоокеанских просторов Калининградская область, и жили бы там свои донские казаки.

Каука Лукини

Уж не знаю, что за мистические нити связывают далекий архипелаг с русскими медиками, но второй наш соотечественник, сыгравший существенную роль в истории Гавайев, тоже был врачом.

Это имя я впервые встретил в любопытных мемуарах некогда популярного, но забытого писателя Иеронима Ясинского (1850–1931). Вспоминая юность и членов киевского студенческого кружка, автор роняет фразу, которая сразу заставила меня сделать стойку: «...Судзиловский, впоследствии президент какой-то тихоокеанской республики».

Полез я копать и обнаружил еще одну турбулентную судьбу, тоже вполне пригодную для романа, но не авантюрного, а скорее в духе Чернышевского.

Если доктор Шеффер пытался сделать Гавайи русской колонией, то доктор Судзиловский бился за то, чтоб острова не стали колонией США. Оба русских медика потерпели фиаско, о чем, полагаю, современные гавайцы не скорбят.

Н. Судзиловский в своем «гавайском» возрасте

Николай Константинович Судзиловский (1850–1930) был классическим порождением своего времени. Идеалистичный юноша, как многие его сверстники, пошел в народ. Но просветительством и агитацией не ограничился, для этого у него был слишком бурный темперамент. Вероятнее всего, судьба привела бы его в ряды бомбистов, тем более что он отлично разбирался в химии и взрывчатых веществах. Кончилось бы всё сибирскими рудниками, а то и виселицей, но молодому человеку, можно сказать, повезло. Он устроился фельдшером в Николаевскую тюрьму, чтоб подготовить массовый побег арестантов, но был разоблачен и скрылся за границу. Вероятно, считал, что покидает родину на время, но оказалось – навсегда.

Дальше всё тоже шло по идеалистическим прописям семидесятых годов. Судзиловский постражался за освобождение балканских братьев от турецкого ига, но был выслан с Балкан за социалистическую пропаганду. Жил повсюду, выучил не меньше дюжины языков.

Он взял новое имя – Николас Рассел, стал гражданином США. Живя в Сан-Франциско, обвинил православного архиерея Америки и Аляски в коррупции. Подобная затея и в наши-то времена была бы рискованной – известно, как РПЦ любит выносить сор из избы, ну а уж в девятнадцатом столетии на правдолюбца ополчилась вся русская община. Нечистого на руку епископа сняли, но и Судзиловскому пришлось уехать. В 1892 году он поселился на Гавайях.

К этому времени королевство пришло в упадок, превратилось в государство, которое сейчас назвали бы failed state. Население вымирало от эпидемий, экономика была в упадке, всеми делами страны управляли бесцеремонные американцы.

Лилуокалани, последняя королева свободных Гавайев

Последняя гавайская королева попыталась избавиться от опеки США – и была низвергнута.

На новой территории США состоялись выборы в Законодательное собрание. Серьезными соперниками, как водится, считались демократы с республиканцами. Но победу неожиданно для всех одержала Партия самоуправления, одним из основателей которой был некто Каука Лукини, что по-канакски означает «Русский Доктор». Каука Лукини, он же Николас Рассел, возглавил первый гавайский сенат, навеки войдя в историю «Ананасового штата».

Судзиловский-Рассел-Каука мечтал сделать архипелаг независимой (а хорошо бы социалистической) республикой. Но американцам эти мечты были, скажем так, неблизки. В газетах началась травля председательствующего, ему настоятельно советовали убираться обратно в свою Лукини и строить социализм там. Судзиловский был вынужден уйти со своего поста, а затем (нечастый случай в истории США) его лишили американского гражданства.

После Гавайского периода своей жизни Николай Константинович еще много где скитался, и, кажется, отовсюду его рано или поздно изгоняли, но идеалам своей юности он не изменил до самой смерти. Умер в Китае, получая пенсию от советского Общества политкаторжан.

Симпатичная личность, по-моему. Таких людей на свете не должно быть слишком много, а то мир сойдет с ума, но совсем без них никак нельзя.

В 1993 году Конгресс США специальным актом извинился за насильственное присоединение островов перед гавайским народом, а стало быть, и перед Русским Доктором, боровшимся за независимость архипелага.

Ну, хоть так.

TABLE OF PRESIDING OFFICERS
HAWAII LEGISLATURE 1901-1996
REGULAR AND SPECIAL SESSIONS

Legislature	Session	Year	Senate President	House Speaker
1st	Regular	1901	Nicholas Russella	Joseph A. Akina
	Extra	1901	Samuel E. Kaiue	Joseph A. Akina
	Special	1902	Clarence L. Crabbe	--b 2nd
	Regular	1903	Clarence L. Crabbe	Frederick W. Beckley
	Extra	1903	Clarence L. Crabbe	Frederick W. Beckley
	Special	1904	Clarence L. Crabbe	Frederick W. Beckley
3rd	Regular	1905	D. Paul R. Isenberg	Eric A. Knudsen
	Extra	1905	D. Paul R. Isenberg	Eric A. Knudsen
4th	Regular	1907	E. Faxon Bishop	H. Lincoln Holstein
5th	Regular	1909	William O. Smith	H. Lincoln Holstein
	Extra	1909	William O. Smith	H. Lincoln Holstein
6th	Regular	1911	Eric A. Knudsen	H. Lincoln Holstein
7th	Regular	1913	Eric A. Knudsen	H. Lincoln Holstein
8th	Regular	1915	Charles F. Chillingworth	H. Lincoln Holstein
9th	Regular	1917	Charles F. Chillingworth	H. Lincoln Holstein
	Special	1918	Charles F. Chillingworth	H. Lincoln Holstein
10th	Regular	1919	Charles F. Chillingworth	H. Lincoln Holstein

Страничка с официального сайта правительства штата Гавайи

Где мои верные наибы и магараджи?

Самая большая из когда-либо существовавших колониальных империй – Британия, к середине XX века расползшаяся на четверть земной суши, достигла могущества главным образом за счет Индии.

Метод управления этим субконтинентом у британцев был замысловат и многокомпонентен, но в конечном итоге он оказался неэффективным. Не буду углубляться в эту серьезную тему – затрону, и то с самого краешка, лишь один

Не самый важный раджа со свитой – Бахадур-хан III нахиб Джунагадха

чрезвычайно занятный сюжет: причудливые обыкновения туземных владык, покорившихся Лондону. В обмен на покорность примерно шесть сотен князей и князьков могли жить в неге и роскоши, которая поражала воображение европейских писателей и журналистов. «Богат, как магараджа» – выражение из тех времен.

На самом деле баснословными богачами были лишь так называемые «полносалютные» владыки (они ранжировались по количеству пушечных выстрелов, которыми их полагалось приветствовать; «полный салют» состоял из двадцати одного ба-баха). Некоторые венценосцы достигали высоких званий в имперской иерархии, но никому из них не довелось занять истинно важной государственной или армейской должности. Высшее общество относилось к их высочествам и высокостепенствам как к экзотическим, немного забавным дикарям, хотя многие из них отучились в оксбриджах и сэндхерстах. Полагаю, что этот снобизм в конечном итоге и стал одной из причин краха империи, над которой никогда не заходило солнце.

Правда, впрочем, и то, что раджи, низамы, такуры и навабы, охотно пользуясь плодами западной цивилизации, даже в XX веке не желали отказываться от прелестей феодальной восточной жизни.

Возвышенное высочество Осман Али Хан

В качестве пресс-папье Осман Али-хан использовал этот алмаз размером с куриное яйцо

Я расскажу о двух наиболее колоритных персонажах, любимцах прессы межвоенной эпохи.

Его возвышенное высочество (официальное титулование) низам Хайдарабадский сэр Осман Али-хан (1886–1967) считался самым богатым человеком планеты.

Трудно не быть самым богатым человеком мира, когда имеешь в частной собственности княжество с населением 18 миллионов человек, и все они с утра до вечера работают исключительно на тебя. В начале сороковых состояние низама оценивалось в 2 миллиарда тогдашних долларов — в два раза больше, чем годовой бюджет всей Индии в первый год ее существования.

Не возвышенное, а просто высочество Бхупиндер Сингх (на шее легендарное «Ожерелье Патьяла» — шедевр фирмы «Картье» и сюжет для авантюрного романа)

У сэра Османа было семь законных бегум и 42 официальные наложницы. Кроме того, низам любил, когда ему на день рождения дарили девушек с хорошим экстерьером. Августейший прайд произвел на свет не меньше полусотни принцев и принцесс.

Биографы пишут, что государь очень любил своих многочисленных детей, но себя драгоценного любил еще больше. Перед свадьбой его старшей, обожаемой дочери Шахазади-Паши некий бродячий прорицатель предсказал, что замужество принцессы сулит низаму преждевременную смерть. Брак отменили, и принцесса навечно осталась старой девой.

Однако любимый мой абрек и кунак — не хайдарабадский низам, а махараджа патиальский Бхупиндер Сингх (1891–1938), почетный генерал-лейтенант британской армии, первый в Индии обладатель аэроплана, владелец самой большой в мире коллекции медалей, мастер крикета и конного поло, 365-кратный супруг и 88-кратный отец.

Но главной любовью махараджи были «Роллс-Ройсы». Обыкновенно его кортеж состоял из двадцати лимузинов этой марки. Поэтому его высочество страшно обиделся на автомобильную компанию, когда та отказалась принять у него внеочередной заказ на новую модель.

Справедливость восторжествовала. Бхупиндер Сингх на «Роллс-Ройсе»

Гнев монарха был ужасен, а кара сокрушительна. «Роллс-Ройсы» из дворцового гаража были откомандированы собирать навоз и возить на помойки мусор, о чем с удовольствием написали газеты всего мира. Скандализованное руководство концерна поспешило предоставить мстительному махарадже желанное авто, и конфликт был улажен.

Ах, почему я не вице-король Индии! Где вы, мои верные наибы и магараджи, где мой любимый слон?

Загадочное преступление и загадочное наказание

Самой прочной из империй нового и новейшего времени оказалась российская.

Она распалась лишь в конце XX века, позже остальных, и произошло это не столько под давлением национально-освободительных движений, сколько вследствие кризиса центральной власти. Российский способ колонизации оказался более надежным, чем испанский, английский или французский.

Может показаться, что причина в географии – в России колониальные территории примыкали к метрополии.

Но это заблуждение. Вплоть до конца 19 века добираться из столицы до окраин империи было и дольше, и дороже, и неизмеримо трудней, чем морем в Африку или даже Индию. Причина относительной устойчивости российско-советской империи вовсе не в сухопутности, а в ином принципе «собирания земель». Оргработа с руководящими кадрами национальных автономий всегда была сильной стороной наших национальных лидеров.

Если испанцы уничтожали туземные элиты, а французы с англичанами их снобировали, то Россия предпочитала туземную аристократию ассимилировать, делать частью собственного дворянства.

Эта практика сложилась естественным образом: для победы над Ордой и Казанским ханством Москве были необходимы татарские царевичи и мурзы, которых охотно приглашали на службу, наделяли вотчинами, брали в зятья. Впоследствии российскими дворянами стали и остзейцы, и шляхтичи, и украинская старшина, и крымские мурзаки, и родоплеменная знать ногайских, калмыцких, кавказских кланов.

Больше всего в этом смысле повезло грузинским «азнаури», которые при включении Грузии в состав империи получили права потомственного дворянства, хотя по своему статусу и имущественному положению скорее напоминали русское сословие однодворцев. Княжеский титул в 19 веке стал звучать менее пышно, чем графский, отчасти из-за того, что грузинским «тавади» (феодалам среднего ранга, вроде европейских баронов) было дозволено именоваться «князьями», и князей вдруг образовалась такая прорва, что во время Кавказской войны из них составилась целая «княжеская сотня» — для такого количества «сиятельств» не хватало офицерских должностей.

Привилегированное положение грузинской аристократии в России объяснялось тем, что Грузия в конце 18 и начале 19 века имела для империи особенное стратегическое

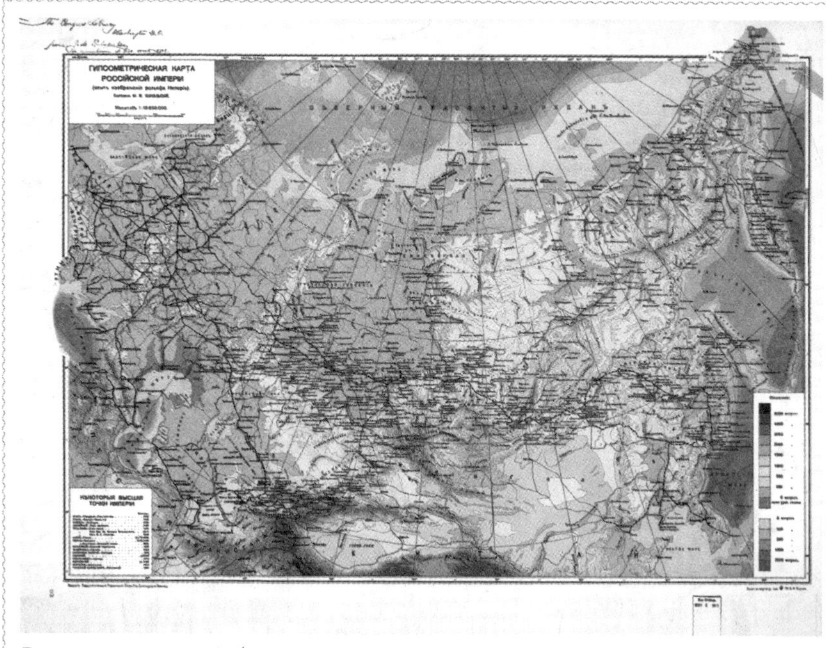

Все колонии — под боком.
Карта Российской империи (1912)

значение и рассматривалась как трамплин для последующего покорения всего кавказского региона. Петербург относился к тамошнему дворянству чрезвычайно осторожно и бережно.

Вся эта длинная преамбула понадобилась мне, чтоб найти хоть какое-то рациональное обоснование для нижеописанного удивительного эпизода. Других подобных казусов в мировой истории колониальных захватов я, пожалуй, не знаю.

16 апреля 1803 года вдовствующая царица Мариам (Мария Георгиевна) в тифлисском дворце заколола кинжалом генерала И.П. Лазарева, начальника ограниченного контингента российских войск, обеспечивавших мир и порядок на территории братской Грузии (терминология из другой эпохи, но суть та же).

Источники по-разному мотивируют это поразительное преступление, но ни одна из версий не выглядит убедительной.

Что там случилось на самом деле, непонятно. Известно, что Лазарев имел приказание переправить царицу — с поче-

Предположительно это произошло как-то так.
Убийство И.П. Лазарева

том, но решительно – из родных краев в Россию, чтоб лишить знамени сепаратистски настроенную часть местного дворянства. Известно также, что Мариам уезжать на чужбину не хотела.

Якобы царица пыталась сбежать в горы (с одиннадцатью-то детьми?).

Якобы генерал пытался стащить ее величество за ногу с изображенной выше тахты (русский генерал августейшую особу – за ногу?).

Мало верится и в то, что Мариам произнесла над окровавленным телом длинную и трудно выговариваемую фразу (ее с удовольствием цитируют все источники): «Такую смерть заслуживает тот, кто к моему несчастью добавляет еще и неуважительное ко мне отношение».

Чтоб высокородная дама, в присутствии целого выводка малюток, сразила насмерть, одним метким ударом, закаленного в сражениях вояку? Как-то оно нереалистично. Не верю!

Еще более странно выглядит кара, которой подвергли убийцу, покусившуюся на высшего представителя императорской власти. Царицу всего лишь отправили на жительство в монастырь (да со всей семьей, с придворными), высочайше повелев «оказывать всякое нужное пособие и снисхождение». Царевичи впоследствии были взяты в кадетский корпус и сделали хорошую карьеру. Через несколько лет Марии Георгиевне вообще разрешили поселиться в Москве.

Современники почему-то ее очень жалели. В письмах графу Воронцову, царскому любимцу, старый генерал Ермолов просит замолвить словечко перед Николаем за опальную царицу.

Попадались мне какие-то глухие упоминания о том, что дочь царицы, царевна Тамара, в это же время попыталась убить тифлисского полицмейстера, но тот оказался проворней генерала Лазарева. В указе Тамара названа «на равное злодеяние покусившейся» (а было злодейке всего 15 лет).

То есть произошло два покушения – удачное и неудачное? Значит, не мгновенная вспышка ярости, а сговор?

Почему такое страшное преступление осталось практически безнаказанным?

Мария Георгиевна. «Ей лет 40; рост ее невелик, осанка статная, лицо азиатское, красоты исполненное» (1810)

С какой стати суровый Ермолов, сторонник «твердой руки» на Кавказе, просил снисхождения к террористке?

Воля ваша, но такое ощущение, что источники либо ни черта не знают, либо морочат нам голову. Если б я владел грузинской исторической фактурой, сочинил бы роман про «заговор женщин». Бедному генералу Лазареву по законам беллетристической логики досталась бы роль общеизвестного злодея, иначе просто нечем было бы объяснить снисходительность властей к убийце. (За исключением, конечно, геополитической версии, изложенной в первой части поста.)

Кто-нибудь знает подробности этой таинственной драмы?

Памяти свиты

В истории – как в театре: всё внимание достается главным персонажам, а актеры «третьего плана» и массовка остаются малозамеченными. Верного Фирса забывают в заколоченном доме, и хоть его, конечно, жалко, но гораздо интересней думать о непростой судьбе Раневской.

В японской истории верных вассалов, жертвующих жизнью из солидарности с господином, полным-полно. Такая уж национальная традиция: не покидать сюзерена в черную минуту считалось у самураев не героизмом, а стереотипом нормального поведения. Совсем не то в Европе. У нас вопрос, сохранять ли верность падшему повелителю или спасаться, пока не поздно, всегда был личным нравственным выбором «человека свиты». И подавляющее большинство, конечно, выбирали сами знаете что.

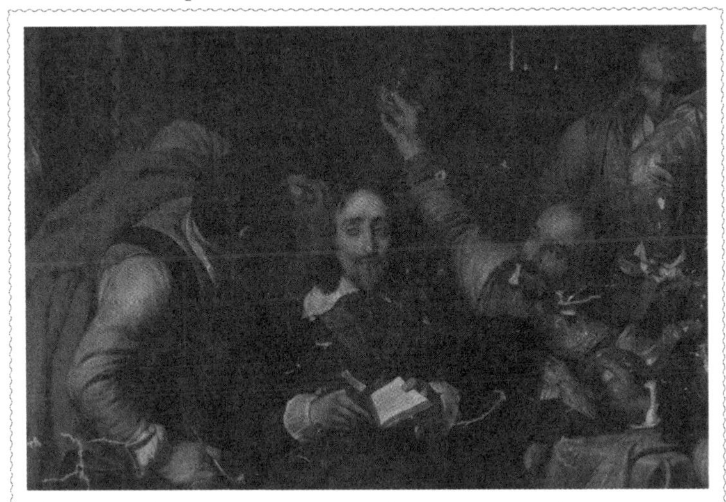

Солдаты Кромвеля глумятся над плененным королем (картина П. Делароша)

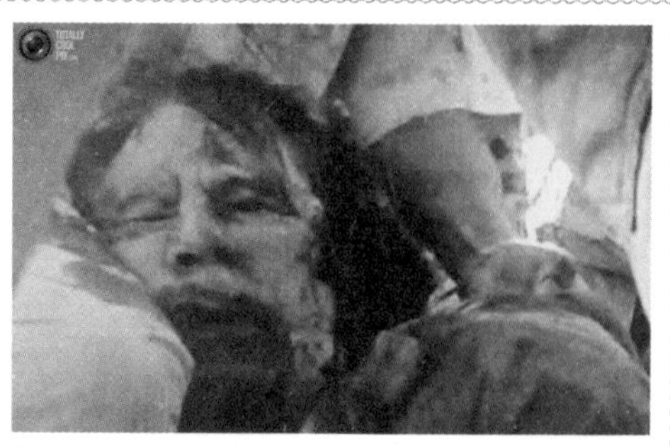

Гнусное линчевание гнусного диктатора. Тело Муаммара Кадаффи, кадр видеозаписи (2011 г.)

Мария-Луиза Савойская, принцесса де Ламбаль (1749–1792)

Удивляться нечему. Среди тех, кто льнет к престолу, вечно преобладают честолюбцы и шкурники. Друзья у августейших персон тоже, как правило, «небурестойкие»: пока сияет солнце, они тут как тут; грянет гроза — их след простыл. Когда король остается голым, нагота его неприглядна. Магия власти рассеивается, пахнет трупом, все придворные в ужасе разбегаются. «Полцарства за коня!» — кричит монарх, но никто не зарится на его обанкротившееся царство, и своего коня бедняге тоже никто не отдаст. Всякий раз, читая летопись последних дней низвергнутого владыки, испытываешь стыд и отвращение — даже если падший властитель был гад последний и заслужил свою участь.

Тем сильнее впечатляют исключения из этого нелестного для человеческой природы правила. Верность рухнувшему с пьедестала венценосцу — поступок редкий и красивый. Я коллекционирую подобные примеры с детства.

Вот томная принцесса де Ламбаль, подруга Марии-Антуанетты.

Будучи женщиной умной, вовремя сбежала от ужасов революции в Англию. Но когда узнала, что королевская семья заключена в тюрьму, добровольно вернулась в Париж, где ее, разумеется, тут же арестовали.

На революционном суде обвиняемый должен был приносить присягу, клянясь «Свободой, Равенством и Ненавистью к королю с королевой». Мадам де Ламбаль сказала, что свободой и равенством – пожалуйста, а ненавистью к монархам клясться не может, ибо таковой не испытывает. На этом судилище и закончилось.

Прямо у дверей трибунала, во дворе, санкюлоты разорвали аристократку на части. Над ее изнеженным телом учинили всякие неописуемые мерзости, а голову посадили на пику и понесли в темницу к королеве – «для прощального поцелуя с подружкой». По дороге кому-то пришла в голову еще одна остроумная идея: голову занесли в парикмахерскую, чтобы сделать приличную для высочайшей аудиенции куафюру.

Шутка удалась на славу – Мария-Антуанетта упала в обморок

Другая сходная история, более нам близкая, связана с казнью царской семьи в Екатеринбурге.

Поначалу в сибирское заточение за августейшей семьей поехала свита аж из сорока человек. Но по мере ужесточения тюремного режима и нарастания тревожных ожиданий число приближенных стало таять. До самого конца остались – добровольно – только четверо. И погибли вместе с Николаем, Александрой и их детьми.

Вы, конечно, и без меня всё это знаете, но хочу, чтобы вы вспомнили эти нечасто поминаемые имена и посмотрели на эти лица.

Евгений Боткин (его хоть признали страстотерпцем)

Алоизий Трупп

Иван Харитонов

Анна Демидова

Когда в 2000 году РПЦ канонизировала царскую семью, погибшие слуги столь высокой чести удостоены не были, как будто даже при канонизации имеет значение социальный статус. А ведь в отличие от царской семьи у этих людей была возможность спастись, но они без принуждения сделали самоотверженный выбор. Я человек нецерковный, у меня своя агиоиерархия. Царская семья для меня — просто несчастные жертвы отвратительного преступления, а вот эти четверо — вполне себе святые.

Семейный бизнес

Главная проблема современного российского капитализма, насколько я понимаю, состоит в крайней непрочности частной собственности.

Никто, даже самый богатый и беззаветно верноподданный олигарх, не может быть уверен, что завтра кто-то более зубастый не отберет у него бизнес. При туманности завтрашнего дня мало кто из предпринимателей решается вкладываться в долгосрочные проекты. Быстро вложил деньги — быстро ушел в кэш. Easy come — easy go. Если российская фирма просуществовала десять лет, она уже считается аксакалом.

В этой связи я заинтересовался, а какого возраста компании принято считать старыми в странах, где рейдерство осталось атрибутом средневековья? И вообще любопытно: сколько лет самому долгожительному из ныне действующих частных предприятий?

Стал выяснять — и с чувством глубокого удовлетворения обнаружил, что общепризнанный рекордсмен бизнес-долголетия зарегистрирован в моей любимой Японии.

Самое старое из беспрерывно функционирующих частных предприятий нашей планеты — гостиница «Хоси-рёкан». «Хоси» — значит «монах», «рёкан» — гостиница. Этим заведением владеет одна и та же семья с 717 года, то есть ТРИНАДЦАТЬ ВЕКОВ. Владельца всегда зовут Дзэнгоро-хоси. Сейчас хозяйством заправляет Дзэнгоро-хоси Сорок Шестой. Ни один монарх не имел такого внушительного порядкового номера. Насколько мне известно, вторым в этом заплыве со значительным отставанием идет папа римский Иоанн XXIII (притом, как вы догадываетесь, не сын и не родственник Иоанна XXII).

Вероучитель Тайтё бродил с проповедью буддизма по еще полуязыческой Японии и однажды увидел вещий сон:

«Хоси-рёкан». Ух, в Москве бы это старье реконструировали!

будто в лесу, под горой, бьет источник, который исцелит множество людей. Ученик святого старца отправился в указанное место и основал там приют для странников. А сын этого ученика построил гостиницу. Сын-то и стал Дзэнгоро-хоси Первым.

С тех пор в Японии было всякое: смертный мор и великий трус, страшный глад и жестокая смута, но за тринадцать веков ни один рейдер-самурай и ни один пахан-якудза на процветающий бизнес не покусились.

Целебный источник бьет, ручей журчит, сорок шестой Дзэнгоро берет с постояльцев хорошие деньги за стаж своего заведения.

Даже не знаю, с чем это сравнить. Ну вот представьте: прошло 1300 лет, на дворе тридцать четвертый век, прилетает в Москву туристическая группа откуда-нибудь с Альфа-Центавра, размещается в отеле «Рэдиссон-Славянская», и с хлебом-солью к ним выходит владелец (кто там владелец-то?) – ну допустим Умар Джабраилов Сорок Шестой.

Парижские катакомбы
(фотоэкскурсия)

Об этом удивительном месте я упоминал в книге «Кладбищенские истории», однако (признаюсь честно) собственными глазами его не видел, просто посмотрел фотографии.

Причина — леность и писательское высокомерие. У меня привычка обходить стороной достопримечательности, от лицезрения которых я не ожидаю никаких особенных откровений. Мне довольно идеи, а в остальном я полагаюсь на воображение — лишние детали могут его спутать и отвлечь на несущественное. До сих пор, например, жалею, что посетил египетские пирамиды. В качестве отвлеченного образа они волновали меня гораздо сильнее, а сейчас в памяти застряла какая-то чушь. Я сказал жене: «Надо купить какой-нибудь сувенир Павлику» (это мой брат, он по образованию историк), и торговец долго бежал за нами с криком: «Павлику! Павлику!» Оно мне надо, такое воспоминание о пирамиде Хеопса?

Здесь и далее — фото парижских катакомб из архива автора

Про парижские катакомбы я тоже думал: и так всё понятно. Ванитас ванитатум, сик глория мунди и прочие нудные мудрости. Ради этого стоять в длинной очереди, спускаться по еще более длинной лестнице и потом плестись под землей два километра?

Постоял в длинной очереди. Спустился на 130 ступенек. Дурак, что не сделал этого раньше.

Рассказываю.

В 1774 году часть Адской улицы (rue D'Enfer), в соответствии с названием, вдруг взяла и провалилась прямо в преисподню. Королевский архитектор спустился в глубоченную дыру и обнаружил тянущуюся куда-то подземную галерею. Стал ее исследовать – пришел в ужас.

Оказалось, что Париж стоит на трухлявом основании. В течение многих веков строители вынимали из-под города строительный камень. Выработанные карьеры закрывались и забывались. Общая протяженность этих нор превышала 150 километров. Многие здания могли провалиться в любую минуту.

В течение следующих ста лет Париж тратил кучу денег на то, чтобы укрепить свое дырявое дно. Поначалу траты были совершенно непроизводительны, но довольно скоро умные головы придумали для катакомб полезное применение.

К концу восемнадцатого века город существовал уже почти две тысячи лет. Количество людей, умерших на этом пятачке, превышало число нынешних обитателей в десятки или даже сотни раз. И все эти покойники лежали на городских кладбищах, во много слоев. Драгоценное пространство было занято погостами, повсюду разгуливали разжиревшие на мертвечине крысы, часто случались эпидемии.

Бывших парижан, которые тянули к себе на тот свет парижан нынешних, было решено убрать как можно дальше – в подземные катакомбы, где и возникло самое гигантское кладбище планеты. В течение почти трех десятилетий из разрытых могил изымали кости и с почтением (траурные колесницы, факела, молитвенные песнопения) перевозили по ночным улицам на ту самую Адскую улицу, где уже безо всякой помпы сваливали в дыру. Глубоко под землей работяги собирали мусор, когда-то бывший людьми, и раскладывали его вдоль стен наподобие хвороста.

С одного только Кладбища Святых Невинных было увезено не менее двух миллионов скелетов. Тамплиеры и мушкетеры, жертвы Варфоломеевской ночи и революционного террора, высокородные и безродные, знаменитые и безвестные — все, кого принимала освященная земля парижских приходских церквей на протяжении долгих столетий, теперь обретаются под кварталами 14-го арондисмана. Кстати сказать, это территория тоже освященная (из-за чего снимать со вспышкой запрещается), но плоховато освещенная, поэтому прошу простить за качество снимков.

Сначала долго, минут десять идешь по узкому, низкому, щелеподобному коридору — это какой-то кошмар клаустрофоба.

Там и сям решетки: для посетителей открыта лишь маленькая часть лабиринта — в девятнадцатом веке здесь, бывало, пропадали целые туристические группы.

Глубокий колодец с невероятно прозрачной водой:

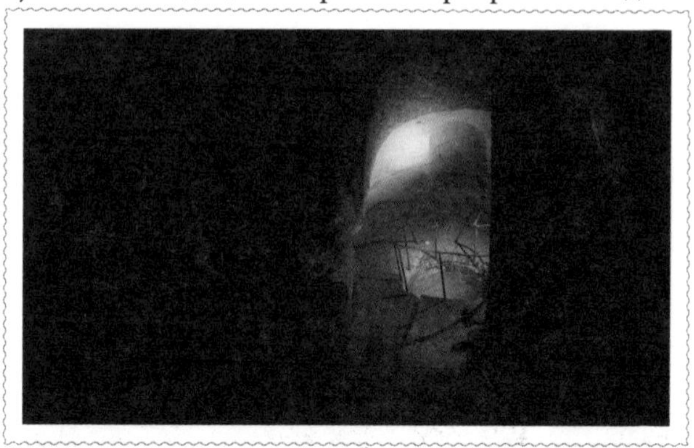

Потом вдруг начинаешь обращать внимание на странно бугристую штукатурку:

Ой, это не штукатурка...

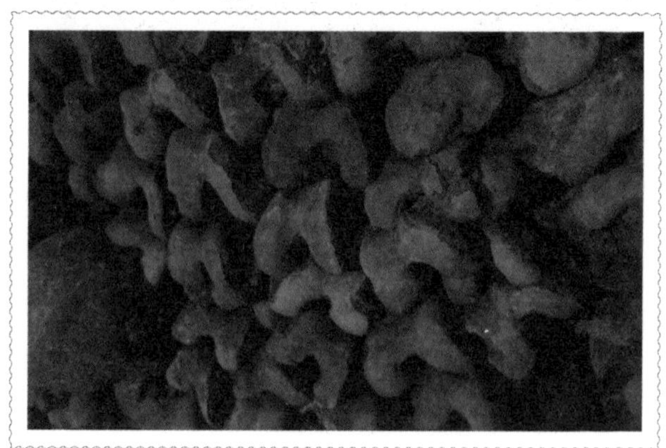

Идешь, идешь, а вокруг всё то же:

Когда начинаешь привыкать к жуткому зрелищу, приходит в голову, что Париж похож на атолл, возведенный коралловыми полипами на окостеневших останках собственных предков. Потом говоришь себе: таковы все старинные города, просто здесь эта истина демонстрируется очень уж наглядно.

За решетками, справа и слева, «костехранилищ» бессчетное количество.

Муторней всего в тех местах, где простодушные могильщики стремились «сделать красиво» и выложили предков декоративными колоннами:

или милыми бордюрчиками:

Извините, в этом месте никак не могу удержаться от банальности:

«У этого черепа был язык, и он мог петь когда-то...»

Может быть, это Франсуа Рабле, мадам де Помпадур или Робеспьер (их черепа тоже где-то здесь).

А вот в этой груде — костяной хлам, оставшийся от верных швейцарцев и дворян, которые пытались защитить обреченного короля при штурме дворца Тюильри в 1792 году.

Постепенно жуть отступает. Идешь, поглядываешь вокруг, думаешь оригинальную мысль: «Ишь ты, сколько народу-то до тебя жило, и все померли, и ничего страшного... Далеко еще до выхода?»

В Катакомбах даже есть место, где все смеются. Вот оно:

Это один работяга восемнадцатого века в свободное от работы время соорудил в нише макет балеарского порта Маон, где в бытность солдатом отсидел в плену у англичан несколько счастливых месяцев. Товарищи прозвали ностальгирующего каменотеса «Босежур», что означает «Приятный Отпуск». Вскоре после завершения работы над этим шедевром Босежура где-то неподалеку придавило обвалом, но в Катакомбах эта маленькая неприятность не производит трагического впечатления.

Мои любимые граффити-вандалы тут как тут, а как же? И даже не очень раздражают. Без них оно всё выглядело бы чересчур философично.

Но вот этому художнику пожелаем: «Пусть с твоей безмозглой черепушкой сделают то же самое!»

Долгой вам жизни, уважаемые читатели!

Рукописи горят

Увы, это так. Михаил Булгаков — лакировщик действительности. Еще как горят, и ничего от них не остается.

Мне как писателю утраты такого рода кажутся трагичнее смерти, потому что текст гораздо долговечнее человеческой жизни.

Можно еще понять, если автор сжигает свое творение сам.

Но если не уничтожил, а только завещал уничтожить — значит, у самого рука не поднялась. Коли так — любое сомнение толкуется в пользу осужденной.

Даже воля дорогого покойника, с моей точки зрения, в этих случаях несвященна. Поэтому я нисколько не осуждаю Дмитрия Набокова, опубликовавшего «Лауру и ее оригинал» вопреки желанию отца, а Максу Броду мы все должны быть бесконечно благодарны. Если бы Брод сжег рукописи Франца Кафки, то никакого Кафки бы и не было.

Когда же человек, которому досталась рукопись, вовсе не приговоренная автором к уничтожению, истребляет ее по каким-то собственным соображениям, то это уже из разряда преступлений, не имеющих срока давности.

Сам породил — сам убил. «Гоголь у камина», раскрашенная литография, неизв. худ. (1850-е гг.)

Приведу два примера подобных злодеяний: один более или менее хрестоматийный, другой – малоизвестный.

17 мая 1824 свершилось черное дело. Душеприказчики Байрона спалили двухтомные воспоминания великого поэта и великого эпатажника. Вестминстерское аббатство только что отказало носителю «сомнительной морали» в погребении, но это, как говорится, проблема Вестминстерского аббатства, которое лишилось ценной достопримечательности. А вот истребление байроновских записок – невосполнимая утрата для всего человечества.

Инициатором аутодафе стал издатель, которому предстояло опубликовать рукопись.

Это он убедил остальных душеприказчиков, что сей скандальный манускрипт должен быть немедленно предан всесожжению. Более того – участники злодейства дали клятву не разглашать содержание мемуаров. И сдержали слово (чтоб им провалиться).

Господи, да что там могло быть такого ужасного? Какие-нибудь половые шалости, не совместимые с тогдашними представлениями о приличиях? Ну не издавали бы, заперли бы в банковский сейф на сто лет. Вряд ли все два тома были посвящены сплошь любовным утехам, это же все-таки Байрон, а не Казанова. Ханжи чертовы! Сожженные воспоминания Байрона считаются самым знаменитым из безвозвратно утраченных произведений мировой литературы.

Вот он, гад: издатель Джон Мюррей

Другая сгинувшая англоязычная рукопись вряд ли была литературным шедевром, но мне ее жалко почти так же, как байроновский двухтомник. Потому что автор был одной из оригинальнейших и сумасброднейших фигур британской истории.

Чарльз Мордаунт, граф Питерсборо, граф Монмут (1658–1735)

Звали его Мордаунт — как сына Миледи. Этот человек, обладатель двух титулов, прожил длинную жизнь, целых 77 лет, невероятно долго для человека, который беспрестанно попадал из одной переделки в другую и, кажется, был начисто лишен инстинкта самосохранения.

На портрете он величав и статен, хотя вообще-то, по свидетельству современников, был плюгав и уродлив. На протяжении десятилетий этот анфан-террибль будоражил общественное мнение, совершал подвиги и безумства, без конца носился из конца в конец Европы. Его приятель Джонатан Свифт писал:

Всех европейских принцев знает,
Повсюду бабочкой летает,
Никто за ним не поспевает.

Перечислю пунктиром обстоятельства этой удивительной жизни.

В шестнадцать лет Мордаунт отличился в морском сражении с алжирскими пиратами.

К двадцати годам он успел убить трех человек на поединках.

В тридцать помог свергнуть династию Стюартов.

При новом короле стал первым лордом казначейства, но за бранные слова в адрес его величества угодил в Тауэр.

Активно участвовал в парламентской жизни, со всеми на свете перессорился, всех замучил несносным характером и был отправлен командовать армией в Испанию. Победил там кучу врагов и разругался со всеми союзниками.

Был отправлен посланником к европейским дворам – и там тоже наломал дров.

О чудачествах и выходках Мордаунта сохранилось множество анекдотов. Однажды ему не понравилось, как безвкусно одет некий прохожий. Его светлость выскочил из кареты и гонялся за беднягой по улицам с обнаженной шпагой. Потом успокоился и щедро вознаградил перепуганного щеголя.

В другой раз графа окружила толпа ненавистников великого «Мальбрука», приняв Мордаунта за герцога, и хотела его растерзать. Мордаунт хладнокровно сказал бунтовщикам: «Я не герцог Марльборо и легко вам это докажу. Во-первых, у меня в кармане только пять гиней. Во-вторых, я запросто вам их отдам, а Марльборо скорей удавился бы». Временщик слыл стяжателем и скрягой. Поэтому мятежники сразу поверили Мордаунту и отпустили его.

Неслыханным чудачеством стал брак носителя двух графских титулов с безродной певицей Анастасией Робинсон.

Обычно люди, которые не ведают покоя и азартно ввязываются в приключения, не оставляют воспоминаний. Не тот темперамент. Но Мордаунт на старости лет исписал мелким почерком три толстенных тома. Граф столько всякого повидал на своем веку, обладал таким острым языком и таким скверным нравом, что его мемуары наверняка были захватывающим чтением – вне зависимости от их достоверности.

Но вдова, наводя порядок в заваленном бумагами кабинете новопреставленного Мордаунта, ничтоже сумняшеся отправила сенсационные записки в камин.

Есть толстенные мемуары про Мордаунта – монотонное описание походов, осад и дипломатических переговоров. Я проштудировал этот занудный фолиант, когда занимался Войной за испанское наследство.

Читал и думал: эх, правы снобы-англичане. Нельзя было лорду жениться на дуре-певичке!

О!печатки...

Никогда не опечатывался тот, кто никогда не печатал.

Вся моя взрослая жизнь прошла в страхе перед абсурдными, постыдными и идиотскими опечатками. Это мой вечный комплекс, мой постоянный кошмар. Я испытываю к опечаткам примерно такой же патологический интерес, как к старым кладбищам: не только тафофил, но и миспринтофил.

Возможно, всё дело в том, что свою трудовую деятельность я начинал корректором — человеком, которому наплевать на смысл текста, лишь бы там не было опечаток. Но они периодически случались. Одну из них — идиотскую в самом прямом смысле — я запомнил навсегда. Не нужно быть психоаналитиком, чтобы сказать: именно она стала первоосновой моего травматического невроза.

Я работал в издательстве «Русский язык», которое готовило разговорники на всех языках к Олимпиаде-80. Был аврал. И у меня в русско-испанском разговорнике — на титульной странице! — прошла дивная опечатка в названии родного издательства. По-испански оно называлось «Idioma ruso». Вместо буквы «m» в первом слове выскочила буква «t». Опечатку заметили, когда тираж был уже готов. Сейчас за такое я бы точно угодил в экстремисты-русофобы, а в советские времена отделался политической ссылкой. Целую неделю я жил на Можайском полиграфкомбинате, выре-

Русофоб с дореволюционным стажем едет в Можайск

зая маленькие бумажные квадратики с напечатанной буквой m и заклеивал ими букву t. Мне в помощь посменно приезжали коллеги. О, сколько недобрых слов выслушал от них я в свой адрес...

Есть опечатки исторические, хрестоматийные. Все помнят, как в коронационном отчете 1896 года Помазанник Божий возложил на голову «корову Российской империи». Легендарная опечатка советских времен – «президент Эйзенахуэр». Но это, так сказать, чужие достижения, а у меня из-за хронического дефицита внимательности имеются в послужном списке и собственные скромные шедевры.

Румынец

В свое время, будучи ответственным редактором юбилейного номера журнала «Иностранная литература», я подготовил список «10 лучших опечаток в истории журнала». Две из них были на моей совести.

Первая: «На ее щеках играл горячий *румынец*».

Вторая требует небольшой преамбулы. Я редактировал какой-то индийский исторический роман. Там у переводчика ко двору раджи являлся некий мудрец с экзотическим музыкальным инструментом, название которого русскому читателю ничего не говорило. Я прочел переводчику нотацию о том, что следует избегать в художественном тексте ненужных усложнений, и спросил, что это за инструмент. «Ну, вроде лютни», – был ответ. «Вот так и напишем», – строго молвил я, зачеркнул экзотическое слово и сверху своим корявым почерком начертал «со своею лютней». Наборщик прочел «лю» как «мо», на корректуре все прошляпили, и в результате получилось: «Мудрец явился ко двору со своею мотней». До сих пор краснею.

Не щадила меня опечаточная карма и в писательские годы. Ибо кто много пишет, тот (не сочтите за каламбур) часто описывается.

В одной высокочувствительной сцене красавица у меня бросает «укорзиненный взгляд».

А не далее как вчера я обнаружил у себя в тексте (слава богу, еще не опубликованном) одну славную опечатку, которая выбила меня из рабочего настроения и послужила импульсом к сочинению этого текстика.

Дама высокой и трагической судьбы с грустной улыбкой поминает безмятежную юность, ушедшее счастье и «все эти милые девичьи пусятки». По-моему, трогательно.

Укорзиненный взгляд

Такой крикет нам не нужен

Начну недостойным и даже постыдным образом — с самоцитирования.

«Нельзя не запачкаться, вычищая грязь — это суждение Фандорину приходилось выслушивать довольно часто, особенно от практиков законоохраны. Однако он давно установил, что так рассуждают лишь люди, не имеющие способности к этому тонкому ремеслу. Те, кто ленятся, ищут простых способов при решении сложных вопросов, не становятся настоящими профессионалами. Хороший дворник всегда в белоснежном фартуке, потому что не сгребает грязь руками, стоя на четвереньках, а имеет метлу, лопату, совок и умеет ими правильно пользоваться».

Хорошо помню, при каких обстоятельствах я записал эту незатейливую мысль, чтобы потом вложить ее в уста своего героя.

В тот день по телевизору в зиллионный раз показывали «Место встречи изменить нельзя». В очередной раз испытывая лютую неприязнь к персонажу, великолепно сыгранному Высоцким, я подумал: не сделать ли литературный римейк этой культовой притчи о злом и добром копе? Полюбовался я, как обаятельный муровец тайком засовывает Кирпичу в карман бумажник (пакетики с наркотой они додумаются подбрасывать позже), и ушел читать очередную историческую книжку, в которой как раз наткнулся на историю злоключений полицейского сержанта Попея. Одно легло на другое, сама собой возникла метафора дворника в чистом халате, а из нее потом вылупился роман «Статский советник».

Итак, про сержанта лондонской полиции Уильяма Попея.

Он служил во славу закона верой и правдой, был предприимчив, инициативен, бесстрашен. Происходило это во времена, когда тред-юнионы считались ужасно опасными организациями, подрывающими устои общества. С риском для жизни или, во всяком случае, для целости костей Попей внедрился в профсоюз угольщиков под видом обычного работяги. Судя по всему, это был первый в истории британской полиции (1831 г.) undercover agent. Сержант какое-то время добывал ценные сведения о кознях смутьянов, потом был разоблачен, но сумел унести ноги.

Самое интересное дальше. Когда начальство узнало о самодеятельности сержанта, он был с позором изгнан из рядов полиции ее величества. В приказе было сказано: «Всякая попытка Использования Шпионов в обычном смысле этого термина является практикой, оскорбительной для чувств Народа и крайне чуждой духу Конституции».

Во времена истерики, вызванной делом Джека-потрошителя, начальник лондонской полиции сэр Чарльз Уоррен оправдывал отсутствие у него осведомителей следующим аргументом: «Работа полиции должна быть открытой, видной всем, проводимой строго по регламенту — как играют в крикет, то есть в соответствии с правилами честной игры. Замаскированный полицейский подобен жулику, который переставляет «калитку» (wicket), когда противник уже ударил по мячу. Кроме того, подобные методы чреваты коррупцией, что не раз демонстрировала история». Из-за своего чистоплюйства Уоррен не сумел выловить убийцу лондонских проституток — и ушел в отставку, козел некреативный. Наш милицейский начальник как бы поступил? Назна-

Зануда сэр Чарльз, который Потрошителя не поймал и Кирпича не расколол бы, но уж точно не потерпел бы «оборотней в погонах»

Следим за мячиком!

чил бы Потрошителем какого-нибудь бомжа или гастарбайтера отрапортовал бы начальству, да получил повышение, а там, глядишь, как-нибудь обойдется. Расстреляли же у нас трех липовых чикатил, прежде чем попался настоящий...

All right, крикетную метафору спишем на туземный колорит, а вот насчет коррупции сэр Чарльз попал в самую точку, и сегодня это звучит актуально, как никогда. Всякая победа над преступностью, достигнутая нечестным путем, порождает в правоохранительной системе червоточину, и со временем эта гниль разъедает весь организм. Чистыми руками грязь убирается медленней. Зато основательней.

Разумеется, со временем и британцы научились использовать для борьбы с преступностью шпионов, стукачей, двойных агентов и подсадных уток. Но дух сэра Чарльза до конца так и не выветрился. Никогда столь любимая нашим населением фраза «Воррр должен сидеть в тюррьме!» не служила в стране «честной игры» оправданием грязных методов борьбы с грязью.

Настоящий патриотизм

Слово «патриотизм» в сегодняшней России обычно ассоциируется с высоко-культурными, миролюбивыми, трогательно горячими в своей любви к Отечеству симпатягами, которые выглядят примерно вот так:

И добиваются они вот этого:

А я вам вот что скажу. Миндальничают и мелко плавают наши патриоты. Тому, кто всем сердцем обожает Родину, выгнать со своей священной земли вражину-оккупанта-непатриота мало. Настоящий патриот такого гада зажарит и съест.

Думаете, шутки шучу?

Я вот вам сейчас расскажу, что такое Настоящий Патриотизм.

Произошла эта славная история не в диких джунглях и не в древние времена, а в просвещенной Франции 1870 года. Шла война с пруссаками. Патриотически-верноподданнические чувства у французов клокотали и булькали. Чем дальше от сражений, тем сильнее. А где в глубоком тылу найдешь врага, чтобы отвести на нем патриотическую душу? Трудно.

На деревенскую ярмарку в идиллической Дордони приехал 34-летний помещик Ален де Монеис д'Ордьер. Он был не чужак, а известный в тех краях человек, муниципальный советник, и все местные жители, в общем, хорошо к нему относились (что делает дальнейшие события еще более невероятными, даже мистическими). Правда, был канун монархического праздника, и публика успела изрядно налакаться, выпивая за здоровье его величества Национального Лидера; а известно, что употребление спиртных напитков благотворно сказывается на градусе патриотических эмоций.

Невинная жертва высоких чувств

Кто-то бдительный случайно подслушал, как кузен Алена де Монеиса читает вслух газету, где говорилось об очередном поражении французской армии. Этого оказалось достаточно. Ни в чем толком не разобравшись, патриот завопил: «Держи предателя! Это пруссак!»

Ален попытался объяснить сбежавшимся со всех сторон людям, что произошла ошибка. Но лица у них, вероятно, были, как на фотографиях с предыдущей страницы – попробуй таким что-нибудь объясни. Кузен поступил умнее – дунул со всех ног и остался жив-здоров.

Все будто разом помешались. Кто-то якобы собственными ушами слышал, как де Монеис радовался германской победе и даже кричал: «Да здравствует республика!» На оторопевшего дворянина посыпались удары: сначала кулаками, потом дубинами, мотыгами, железными крюками.

В течение целых двух часов несчастного таскали по всей ярмарке, избивая. Он был весь в крови, падал, его волокли по земле. Пытался бежать — догоняли. Вконец измученный, де Монеис стал умолять, чтобы его пристрелили. Но этого толпе показалось недостаточно. Они разожгли костер, бросили туда свою жертву, и, по свидетельству очевидцев, некоторые особенно беззаветные патриоты рвали обугленное мясо зубами. «Мы делаем это для Франции!» — восклицали они.

Неблагодарное отечество не оценило рвения

Но Франция не сказала героям мерси. Монархия вскоре рухнула, национальный лидер отбыл в эмиграцию. Про патриотический каннибализм деревни Отфэ написали газеты.

Состоялся судебный процесс. Из толпы в 200 человек, растерзавшей Алена де Монеиса, под суд отдали два десятка самых активных. Четверо из них были казнены на том самом месте, где произошло преступление.

А французы до сих пор пишут о тех патриотических людоедах монографии и даже романы, например, вот такой. →

Всё пытаются разобраться, что за бес вселился в мирных богобоязненных соотечественников?

Разве патриотизм — это бес? Ведь нет же. В чем тогда дело? Может быть, мы просто называем этим почтенным словом нечто совсем другое?

Забытые герои

У меня, как у всякого литератора (и вообще всякого человека), есть набор тем, на которых я, что называется, зациклен.

Думаю, вы знаете этот синдром по себе: воспринимая новую информацию, вы ее эмоционально «фильтруете» – какие-то явления просто принимаете или не принимаете к сведению, от других начинаете вибрировать. Таковы и мои впечатления от Севастополя. Мое зрение было заранее сфокусировано на вещах, которые никогда не оставляют меня равнодушным. Вас в этом многослойном городе наверняка зацепило бы что-то иное, своё. В общем, у кого что болит, тот о том и говорит.

Одна из тем, давно не дающих мне покоя, это несправедливость истории.

Да, разумеется: я отлично знаю, что память потомков избирательна и формируется случайным, а то и тенденциозным образом. Сплошь и рядом на роли героев попадают персоны, этого звания не заслуживающие. Меня удручает не это. Ну, пользуются посмертной славой придуманные политработниками 28 панфиловцев. Пускай, не жалко.

Но как же бывает горько, когда проглянет из прошлого краешек чего-то по-настоящему героического, но забытого или вовсе не замеченного.

В Севастополе получилось так, что эта чувствительная для меня тема возникла дважды за один и тот же день.

Когда я осматривал Балаклавскую бухту (надо было для работы), мой консультант В.Н. Гуркович, специалист по крымской истории, вдруг начал с жаром и чуть ли не дрожью в голосе рассказывать про невероятное сражение, разразившееся на балаклавских холмах 14 сентября 1854 года. Сотня солдат, в том числе отставников-инвалидов, с четырьмя пушчонками в течение многих часов вела бой со всей наступающей британской армией, да еще и эскадрой в придачу. Командовал балаклавцами подполковник Матвей Манто. Он вместе с другими ранеными в конце концов был захвачен в плен, где героев содержали с большим почетом.

Владимир Николаевич сравнивал этих солдат с фермопильскими спартанцами, призывал меня написать про подполковника и говорил, что сам-то пишет о нем много лет, но никому это не нужно. Мне показалось, что это главная обида жизни моего консультанта. Я уважаю такие обиды: когда человек оскорблен не за себя, а за кого-то, кто давным-давно умер, не сват, не брат и даже не предок.

Очень странно, конечно, что героическая оборона Балаклавы не стала хрестоматийным эпизодом российской истории. Может быть, причина в том, что большинство гарнизонных солдат были греками и с официальной точки зрения казалось неприличным прославлять инородцев, когда христолюбивое воинство терпит поражение за поражением. А может быть, просто рядом не оказалось полезного очевидца в лице какого-нибудь флигель-адъютанта.

Ни портрета подполковника Манто, ни изображений того боя в просторах интернета я не обнаружил. Поэтому считайте, что герои запечатлены вот здесь:

Никто не забыт и ничто не забыто

Однако про балаклавскую оборону хоть какая-то память сохранилась. Я потом припомнил, что читал про это у Сергеева-Ценского и у Тотлебена.

Но в тот же день вечером сотрудник шереметьевского музея Данил Бержицкий показал мне нечто совсем уж щемящее. Музей (частный и, кстати сказать, очень хороший) находится на Северной стороне в бывшем Михайловском равелине, который после боев последней войны много лет находился в руинированном виде.

Михайловский форт до реставрации.
Из коллекции Д. Бержицкого

Во время осмотра экспозиции я, уже забыл в какой связи, упомянул о своем хобби — люблю фотографировать старинные граффити. Данил сказал: «Тогда пойдемте на чердак. Кое-что покажу».

По дороге он рассказал, что во время ремонта на засыпанной землей и мусором крыше обнаружили семь скелетов: шесть наших, один немецкий. Идентифицировать останки не удалось.

На лестничной площадке мы остановились у стены, исписанной обычной для этого жанра словесности ерундой и жеребятиной.

Если бы не Данил, я нипочем бы не заметил.

А вы разглядите?

Видите? Под «КРИВЫМ», написано:

НАС ОСТАЛОСЬ ТРОЕ
(потом три неразборчивые фамилии;
последняя похожа на «Жданов»)
УМЕРАЕМ ЗА РОДИНУ

Давно не видал зрелища грустнее.

Русский и японец как братья (Карамазовы)

Однажды я выступал в РГГУ в паре с профессором Камэямой, который в восьмой (!) раз перевел на японский «Братьев Карамазовых». Перевод стал в Японии мегагигабестселлером, за первый же год было продано больше миллиона экземпляров.

Из публики спросили, чем я объясняю столь жаркую любовь японцев именно к этому роману. Я честно ответил: понятия не имею. Потом начал про это думать. И вот какая у меня возникла гипотеза. Не знаю, покажется ли она вам убедительной.

С легкой руки Достоевского, который сложил химическую формулу «истинной русскости» из трех главных ингредиентов (Митино «Широк человек», Иваново «Если Бога нет», Алешина «Слеза ребенка») и, во имя объективности, кинул в этот гремучий раствор горстку федор-карамазовской грязи и щепотку смердяковщины, весь мир вот уже 130 лет спорит, какой из карамазовских компонентов нашего нацхарактера самый русский. Разумеется, лидирует Митя с его безудержностью в высоком и низком, хорошем и плохом.

Икуо Камэяма с Достоевским попали в новости

Видимо, так оно и есть. Выражаясь поэтически, Размах, а выражаясь сухо, «отсутствие чувства меры», дей-

Карамазовская триада: Удаль, Умничанье, Духовность

ствительно является международно констатированной (и не отрицаемой нами) типообразующей чертой т. н. Русской Души.

Свод исконно русских максим выглядит примерно так:

Казнить – так казнить, миловать – так миловать
Рубить – так с плеча
Любить – так королеву, украсть – так миллион
Кто не рискует, тот не пьет шампанского

И прочее подобное.

В отечественной истории этот атрибут национального своеобразия не раз бросал страну из одной крайности в другую: уж коли свобода, то полный хаос, уж если порядок – то автократия или диктатура.

Оборотные стороны отсутствия чувства меры – дубовая упертость и героическая стойкость. Из-за непробиваемого, тупого упрямства возникали холерные и картофельные бунты. Из-за него же устояли в 1812 году после (что бы там ни писал Лев Николаевич о «моральной победе») тяжелого поражения при Бородине; и еще раз в 1941-м после уничтожения регулярной Красной Армии; не сдали Ленинград; отстояли Сталинград.

Эта коренная черта русскости в одних ситуациях вызывает безумное раздражение, в других – горячее восхищение. Мы-то на себя за нее не раздражаемся, а гордимся, что во всём нам хочется дойти до самой сути: в работе или там в

Вот это по-нашему!

поисках пути и уже тем более в сердечной смуте.

Но есть на свете нация, вроде бы мало на нас похожая, однако наделенная этим обоюдоострым качеством в еще более сильной мере. Как вы догадались из заголовка, это японцы. Один токийский экспат британского происхождения когда-то изложил мне целую теорию исторической обреченности японского модуса вивенди, потому что «они никогда не умеют вовремя остановиться». Ну, понятно: для англичан, чемпионов сдержанности, худший грех, когда кто-то «never knows when to stop».

Особенно выпукло дефицит чувства меры у японцев, как и русских, проявлялся в периоды тяжких военных испытаний. Про массовое производство героев-летчиков я уже писал, теперь расскажу еще об одном сугубо японском проявлении беспредельного максимализма.

В советские времена был дурацкий анекдот про партизанский отряд, который до сих пор блуждает по белорусским лесам, взрывает поезда и отстреливает полицаев, потому что «связной не вернулся, а рация сломалась». Еще был вполне реальный случай во время Первой мировой: при поспешной эвакуации Брест-Литовска в подземном складе забыли часового, и тот до конца войны оставался на

своем посту. В третьем, что ли, классе после чтения рассказа Леонида Пантелеева «Честное слово» нам приводили эту историю в качестве не литературного, а подлинного примера потрясающей верности долгу, и мы потрясались, ахали.

А японцам упорство часового показалось бы нормальным поведением. У них после войны этаких непреклонных партизан и стойких оловянных солдатиков было пруд пруди.

Отряд капитана Сакаэ Обы на острове Сайпан согласился сложить оружие лишь в декабре 1945-го, после полутора лет боев в окружении

Хотя 15 августа 1945 года была объявлена капитуляция, отдельные отряды императорской армии, оказавшиеся в отрыве от своих, еще долго продолжали воевать с американцами. Известия о конце они считали вражеской пропагандой.

Известно, что крупное соединение Квантунской армии, около 15 тысяч человек, оборонялось от китайцев в горах Маньчжурии аж до конца 1948 года.

В джунглях Индокитая, Филиппин, Индонезии одичавшие японские вояки воевали с местными жителями и американцами (или просто прятались) в течение долгих лет. Сначала их было много. Но кто-то умер, кого-то подстрелили, кто-то был пойман и отправлен на родину.

И всё же несдавшиеся попадались в глухих лесах еще и в семидесятые годы.

В январе 1972 двое филиппинских охотников наткнулись на капрала Сёити Ёкои. Он 27 лет бродил по лесам с винтовкой без патронов. Одежду делал из коры. Питался орехами, лягушками, улитками и крысами. С большим трудом удалось его убедить, что война закончена, но капрал настоял на том, что оружие возьмет с собой — а как же, казенное имущество.

Это еще ладно, винтовка у капрала была безопасная. А вот лейтенант Хироо Онода, высадившийся с группой особого назначения на филиппинском острове Лубанг в декабре 1944-го, все 29 лет своего партизанства активно сражался. Бойцы его группы, один за другим, погибли. А лейтенант всё воевал. В разные годы он застрелил несколько филиппинцев, приняв их за американских агентов.

Специально для неуловимого Оноды с вертолетов сбрасывали газеты и листовки, увещевали его через динамик, но он не верил в провокации и держал порох сухим.

Вот таким Онода засел в джунгли...

...а таким вышел

В 1974 году японский студент, некто Норио Судзуки, отправился посмотреть свет. Программа у него была такая: «Найти лейтенанта Оноду, дикую панду и снежного человека». Первый же пункт увенчался успехом. Молодому раздолбаю Онода почему-то поверил. Однако согласился сдаться лишь своему непосредственному начальнику, которого ради этого специально доставили на Филиппины. Местные жители вздохнули с облегчением. Их можно понять: у бережливого лейтенанта еще оставалось 500 патронов и несколько гранат.

Насколько мне известно, последнего японского партизана, капитана Фумио Накахиру, обнаружили на какой-то филиппинской горе аж в 1980 году, то есть аккурат к столетию выхода «Братьев Карамазовых».

Это я возвращаюсь к тому, с чего начал, – к запоздавшему ответу на вопрос из публики.

Я думаю, что японцы так любят этот роман, потому что воспринимают Карамазовых действительно как братьев — *своих* братьев. И идеалист Алеша, и полоумный рационалист Иван, и уж в особенности неугомонный Дмитрий — персонажи совершенно японские.

Убедитесь сами:

Современный японский комикс «Братья Карамазовы»

Российские герои: мой личный выбор

Когда-то на записи передачи «Очевидное — невероятное» мы с Сергеем Петровичем Капицей среди прочего говорили о несправедливости и избирательности в формировании национального пантеона героев. Часто случается, что чье-то имя застревает в памяти потомства не по заслугам, а кто-то, во стократ более достойный, начисто забывается.

Вот я и решил рассказать (а если кто-то знает — напомнить) о нескольких героях и героинях российской истории, которых сегодня совсем забыли. А для меня они — еще одно, причем важное доказательство того, что наша страна чего-то да стоит.

Должен сказать, что я сортирую вехи отечественной истории по одному главному параметру: способствовало то

Ссыльно-каторжная тюрьма в Усть-Каре

или иное историческое событие прогрессу ЧСД (чувства собственного достоинства) в соотечественниках либо же понизило эту характеристику, которая, я уверен, явственней всего определяет качество всякого народа. Вот почему, с моей точки зрения, так скверен любой тоталитаризм: он вытаптывает в людях достоинство, превращает их в винтики, гвоздики и щепки, которые летят во имя рубки какого-то там леса. Люблю первых двух Александров за то, что дали, каждый по-своему, толчок развитию прав личности. Терпеть не могу Николая Первого за святую веру во всемогущество шпицрутена и ненавижу Сталина за сознательное и планомерное вытаптывание чувства собственного достоинства во всех стратах российского общества, сверху донизу.

Ну а теперь собственно сюжет. В советские времена этот эпизод революционной борьбы хоть изредка, да вспоминали (и то лишь до начала Большого Террора), а теперь совсем забыли, потому что революционеры вышли из моды.

Елизавета Ковальская

Случилось это в годы царствования третьего Александра в одной из самых суровых ссыльно-каторжных тюрем Сибири.

Во время посещения каторги генерал-губернатором Корфом одна заключенная, Елизавета Ковальская, отказалась встать при появлении высокого начальства. В воспоминаниях она объясняет это так: «Я никогда в тюрьме не вставала при входе начальства, не встала и перед ним. На его приказание: „встать!“ ответила: „Я пришла сюда за то, что не признаю вашего правительства, и перед его представителями не встаю“». Бунтовщицу чуть не убили на месте, потом перевели в еще более страшную тюрьму, поместили в одиночку, причем усть-карский комендант в отместку за то, что Ковальская «осрамила» его перед генералом, обошелся с ней каким-то особенно гадким образом. (В своей автобиографии Ковальская не хочет рассказывать, что именно с ней сделали стражники, но, видимо, даже для каторжных нравов это было нечто невообразимое.)

Сокамерницы Ковальской, оставшиеся в Усть-Каре, начали серию голодовок, требуя уволить мерзавца. Борьба растянулась на месяцы. В конце концов одна из женщин, 28-летняя народница Надежда Сигида, попыталась влепить коменданту пощечину — офицеру с «битым лицом», согласно традициям, полагалось подавать в отставку. Как-то там он, резвун, от нее увернулся или отпрыгнул, а может, перехватил занесенную для удара руку — не знаю. Но акт составил, написал рапорт, и по приказу генерал-губернатора Корфа каторжница за дерзость была выпорота розгами, что соответствовало существовавшей в ту пору инструкции по содержанию заключенных.

Надежда Сигида

В ту же ночь, 7 ноября 1889 года, четыре молодые женщины (в том числе Сигида) приняли смертельную дозу яда в знак протеста против оскорбления человеческой личности. В мужском отделении из солидарности то же сделали шестнадцать человек, но яд оказался лежалый, и скончались только двое.

«Карийская трагедия» стала известна всей стране, а затем и всему миру. Шум поднялся такого масштаба, что Усть-Карская каторга была навсегда закрыта. Что более существенно: с этого момента в России были отменены телесные наказания в отношении женщин. Всё, больше никаких «Ни стона из ее груди, лишь бич хлестал, играя». За то, чтобы российское общество поднялось на одну ступеньку высокой-превысокой лестницы ЧСД, заплатили жизнью шесть человек. Даже не знаю, много это или мало.

Вот имена этих людей. Вряд ли они вам известны:

Надежда Сигида
Мария Ковалевская
Надежда Смирницкая
Мария Калюжная
Иван Калюжный (Муж и жена? Брат и сестра?)
Сергей Бобохов.

А кроме имен да маленькой фотографии Н. Сигиды, кажется, ничего и не осталось. Была еще какая-то картина «Карийская трагедия» художника-соцреалиста Касаткина, но репродукции ни в Сети, ни в офф-лайне я так и не нашел. Зато в Хабаровском крае есть большой поселок Корфовский, в названии которого увековечено героическое имя генерал-губернатора, победителя женщин.

Последняя тайна Видока, или Как старому облезлому голодранцу добиться успеха у женщин

В нескольких прочитанных мной жизнеописаниях суперсыщика и гиперпрохиндея Эжена-Франсуа Видока (1775–1857) масса поразительных историй, как правдоподобных, так и не очень, но больше всего меня поразила одна, без сомнения подлинная — уже хотя бы потому, что известна она не со слов великого самопиарщика, а из документов и свидетельств современников.

Когда Видок состарился и стал решительно нехорош собой, ко всем прочим неприятностям он еще и оказался стеснен в средствах. В эти тощие годы былой любитель красивой жизни был вынужден отказаться от всех «тучных» привычек и жил очень скромно.

Эжен-Франсуа Видок

По сильно приукрашенному позднему портрету видно, как нехаризматичен сделался на склоне лет прежний герой-любовник.

Но окружающих поражало, как это рыхлому, неопрятному старикашке удается приманивать женщин. Старость Видока была бедной, но отнюдь не одинокой. Смазливые девицы и

Примерно в таком окружении завершал Видок свой жизненный путь

аппетитные бабенки (в том числе – о! – молодые актриски), будто установив очередность, посещали дедушку, любезничали с ним, прохаживались с ним по улице, а может быть, выказывали и более вещественные знаки приязни. Видок при случае любил намекнуть соседям, что вообще-то он имеет коекакое состояние, просто на старости лет стал набожен и аскетичен, однако если даже у пенсионера и были сбережения, тайны женского обожания это не объясняло. На своих поклонниц Видок не тратил ни одного су – наоборот, некоторые из них приносили ему подарки.

Очевидно, тут наблюдался феномен редкостного мужского обаяния, неподвластного течению времени. Все недоумевали, сплетничали, завидовали.

Но вот бывший каторжник-полицейский скончался. И секрет его колдовского успеха раскрылся.

Еще до того, как завершилось отпевание, некая актриса явилась к приставу, чтобы тот поскорее опечатал квартиру усопшего, ибо всё его имущество завещано ей.

Вскоре явились еще одиннадцать особ женского пола с точно такими же завещаниями. Выяснилось, что каждой из обожательниц ушлый старичок пообещал оставить всё свое бережно припрятанное состояние – в благодарность за малую толику любви и заботы.

Однако, как обнаружилось после торгов, никакого состояния не существовало и все пожитки ветерана правоохранительных органов были оценены в более чем скромную сумму 2907 франков плюс 867 франков недополученной пенсии. Даже если поделить на двенадцать, хватило бы только на шпильки, но и эта чепуха в результате досталась каким-то родственникам.

Ай да Видок, ай да сукин сын. Мало того, что скрасил себе закатные годы жизни, так еще и вызвал своей смертью столько совершенно неподдельных женских рыданий!

Вот как организовывают феноменальное везение в любви.

Про феноменальное невезение – в следующей новелле.

Как юной и желанной красавице упустить свое счастье

Для контраста и баланса расскажу исторический анекдот, описывающий прямо противоположную ситуацию: как была проиграна любовная партия, имевшая все шансы на успех. Вычитал я эту трагедию обманутых надежд в мемуарах наполеоновского камердинера Констана (*«Mémoires intimes de Napoléon I par Costant son valet de chambre»*).

Император французов был ценителем женской красоты, однако, обремененный великими делами, совершенно не имел времени на ухаживания. Впрочем, необходимости расходовать свои драгоценные минуты на подобные формальности у него и не было — как говорится, не царское это дело. Власть и слава — сильный афродизиак, а самый маленький и короткий роман с самодержцем сулит столько выгод, что у любвеобильных владык редко возникают проблемы по части взаимности. Роль ухажера вместо его величества обычно исполнял доверенный камергер, умевший отлично договариваться с девицами и их родителями либо с дамами и их мужьями. Ловкость и такт

Верный (до поры до времени) Констан

этого посланника высочайшей любви были легендарны. Констан в мемуарах называет сего купидона «граф Б.» – по-русски это звучит как-то двусмысленно, но просто камергера звали де Бомон.

После занятия Мадрида его величеству было угодно обратить внимание на одну юную актрису, которую Констан описывает в следующих выражениях: «Очень красивая особа пятнадцати иль шестнадцати лет, обворожительнейшей свежести, черноволосая, с очами, полными огня». Граф Б. отправился на переговоры и выяснил, что красавица – о чудо из чудес – еще и целомудренна. «Она сумела сберечь свою добродетель, невзирая на все опасности, с коими сопряжено ремесло актрисы». А еще, присовокупляет Констан, «она обладала прекрасною душой, добрым сердцем и чрезвычайною живостью манер – одним словом, всеми приметами очарования».

Мне представляется что-то этакое

Тетушка, у которой воспитывалась девица, сказала, что ради Великого Человека chére enfant готова расстаться со своим «сокровищем». Таким образом, всё отлично устроилось, и ночью ко дворцу прибыла плотно зашторенная карета, из которой выпорхнула разряженная в пух и прах чаровница, чуть не опрокинув Констана волной парфюмерных ароматов.

Через пару минут у Констана в комнате истерично затрезвонил колокольчик. Лакей кинулся в апартаменты его величества и был поражен, застав императора не в спальне, а в прихожей. Наполеон держался за виски, страдая от жестокой мигрени. «Констан! – вскричал он, выпустив шнур звонка. – Уведите ее отсюда как можно скорей! Я сейчас сдохну от ее благовоний! Отворите все окна и двери, но сначала – вон ее отсюда, вон!»

Сердце разрывается читать про то, как рыдала бедная испанка, не понимая, почему ее выпроваживают, хотя она ничего такого не сделала, да и вообще, можно сказать, едва

Обратите внимание: женщина, которая переборщила с прикидом, Героя явно пугает

вошла. «Не было конца ее слезам и мольбам, – пишет камердинер, – и она отчасти утешилась лишь тогда, когда увидела солидный подарок, который поручил передать ей император».

Moralité:

Mesdames et mesdemoiselles, послушайте совет мудрого Констана. Не мечите бисер перед свиньями. Если вам нужно произвести впечатление на других женщин – тогда конечно. Накрашивайтесь, наряжайтесь, душитесь ста ароматами. Все детали и нюансы будут замечены и оценены по достоинству. Но если нужно понравиться мужчине, ни в коем случае не переусердствуйте. В лучшем случае он, тупица, не заметит. А в худшем может произойти трагедия вроде описанной Констаном.

Читая Шпеера

Читал я тут воспоминания Альберта Шпеера (1905–1981), который был сначала любимым архитектором фюрера (чертовски талантливым), а потом сменил профессию и стал министром вооружений (весьма эффективным).

Мемуары эти широко известны. Чаще всего у нас цитируют пересказ разговора с Гитлером о Сталине. Шпеер пишет, что Адольф отзывался об Иосифе с большим уважением, видел в нем родственную душу и поэтому приказал хорошо обращаться с плененным Яковом Джугашвили. Беседа происходит в разгар ожесточенных сражений на Восточном фронте, и вдруг фюрер роняет, что подумывает после победы оставить Сталина правителем, потому что этот человек отлично умеет управляться с русскими.

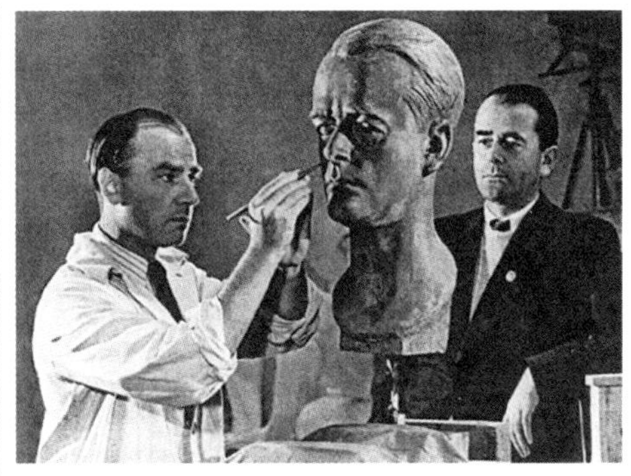

Шпеер (справа) готовится к долгой славе. Еще не знает, что Рейх окажется не тысячелетним

Пассаж, конечно, яркий, что и говорить. Заставляет призадуматься. Но меня в книге золотого мальчика, первого ученика по всем предметам, больше всего поразила не видовая солидарность монстров, а сам Шпеер. Точнее, невероятная трепетность его чувствований по отношению к Гитлеру. Главный нерв книги — переживания из-за того, что кумир то погладит по шерстке и почешет за ухом, то вдруг стукнет тапком по носу.

Хотя нет, это не собачья, а скорее очень женственная, даже девичья привязанность.

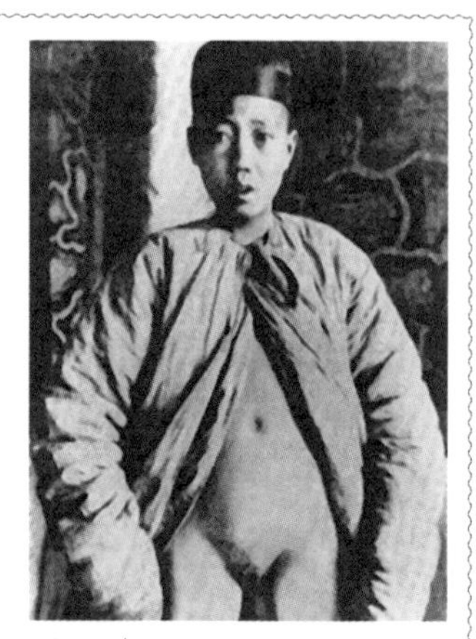

Юный евнух демонстрирует свою безопасность для Вертикали

В этой связи я стал думать, что всякая диктаторская власть признает наличие лишь одного самца-оплодотворителя. Поэтому в свите властителя могут выжить и уцелеть лишь те соратники, кто ведет себя немужским образом. Вертикаль власти возможна (и вообще заметна), лишь когда она окружена сплошными горизонталями. Всякое проявление маскулинного поведения губительно для карьеры, а иногда и для жизни. Приветствуется и вознаграждается добровольная самокастрация. Неслучайно в историческом Китае, где существовал самый древний, испытанный временем институт централизованной власти, карьеру при дворе могли сделать только евнухи. ← Вот как должен выглядеть юноша, имеющий хорошие шансы на служебный рост при тоталитарной системе правления.

А теперь посмотрите, как выглядят первые лица Третьего Рейха – прямо какое-то шоу транссексуалов (прошу прощения у подлинных транссексуалов).

Феминно-истероидный Геббельс;

Самый страшный человек государства Гиммлер (по виду абсолютная гражданка Парамонова);

Склочница и интриганка Борман; →

Даже бравый ас Первой мировой Геринг, мимикрируя вслед за изменением климата, с годами превратился в жирную расфуфыренную бабу.

В мужском шовинизме тоже прошу меня не обвинять. Просто мне больше нравится, когда мужчины ведут себя по-мужски, а женщины по-женски, и мужчины женского склада, равно как и женщины мужского склада, мне как-то, скажем, не близки.

Особенно, если они занимают ключевые посты в государстве.

В следующем посте будем любоваться окружением Сталина, нашего отечественного Супер-Самца, в одиночку оплодотворявшего всё стадо на протяжении трех десятилетий.

Наши – краше

В еще большей степени закон добровольно-принудительной евнухоидности распространялся на позднесталинское окружение.

Из-за того, что Родной и Великий просидел в диктаторском кресле много дольше Гитлера, он лучше преуспел в своей кастраторской миссии и ушел гораздо дальше.

Вначале в окружении набирающего силу диктатора преобладали победители гражданской войны с твердокаменно-мужественными лицами:

Красные маршалы: такие, пожалуй, на операцию не согласятся

Как известно, не все мужские особи способны пережить кастрацию. И те, в ком оказалось слишком много тестостерона (не в физиологическом, а в поведенческом смысле), были отправлены на бойню. Именно в этом и состоял смысл Большого Террора: борьба за единоличную власть в стаде и есть устранение потенциальных помех статусу альфа-самца.

На смену генерации железных революционеров пришли новые вице-вожди, старательно изображавшие меринов, волов и боровов с не вызывающей сомнений пухлой внешностью и характерно несамцовской жировой прослойкой:

Это всё были какие-то пельмени в широченных брюках, рукоплещущий хор евнухов. Только не надо рассказывать про то, каким племенным жеребцом был Лаврентий Палыч — мужчину делает мужчиной не активность половой функции, а совсем иные качества. И на портретах сталинских приближенных меня отвращает не толщина щек, а намеренно демонстрируемая «бабистая функция»: вот, мол, какие мы мягкие подушки, совершенно не претендующие на лидерство в стаде. Из истории мы знаем, что самцовско-бойцовские качества в них немедленно проснутся после того, как освободится вакансия вожака; тот же комичный плясун Никита Сергеевич скоро перестанет прикидываться тюфяком и всем покажет известно что:

Весь сталинский так называемый большой стиль, несмотря на фаллоимитаторы московских высоток и главный неосуществленный дилдострой Дворца Советов, это сплошная оргия кастратов: все эти гособвинители с жидкими голосами, певцы с тенорками-козлетончиками и кинокумиры без мужского гормона.

Это секс-символ предвоенной эпохи – большевик Максим:

А это главный мачо позднего сталинизма, с высоконьким голоском:

Сменится эпоха, в обществе восстановится гормональный баланс, и тот же Кадочников сможет себе позволить мужественный облик, даже, кажется, заговорит на октаву ниже.

Мужчина, да еще какой. →

Исключением был Марк Бернес, ну так за это ему и досталось женское обожание сверх всякой меры — за один только мужественный, пускай скромного масштаба голос, а что касается официальных регалий, то при всенародной популярности он даже на самую первую ступеньку актерского почета — засл. арт. РФ — при Сталине так и не вскарабкался.

Впрочем, популярность Бернеса — это уже военная пора, когда тотальная мода на евнухоидов временно отступила, потому что с кастратами много не навоюешь. Лица тех, кого вытянул наверх естественный отбор войны, поразительным образом восстанавливают стандарт нескрываемой мужественности. Страну к победе привели люди вот какого типа:

Мачо Бернес

Жуков: после войны ошельмован и снят с должности

Рокоссовский: чудом остался жив во время террора; после войны от греха сплавлен в Польшу

Кузнецов, истинный руководитель ленинградской обороны: после войны расстрелян

Черняховский: если б не погиб, с такой внешностью не сносить бы ему головы

От толстых к тонким

от несколько самых легендарных красавиц европейской истории. Смотрим, любуемся.

Диана де Пуатье, повелительница сердца Генриха II

Королева Марго, из-за которой в буквальном смысле потерял голову прекрасный де ля Моль

Мадам де Ментенон, подруга Короля-Солнце

Красота этих лиц, потрясавшая современников и покорявшая сердца альфа-самцов, нам сегодня кажется сомнительной, верно? Екатерина Скваронская (на следующей странице), на мой вкус, просто страшилище. Ну, мадам де Ментенон еще туда-сюда, однако ей бы в фитнес походить, на диете посидеть.

В том-то и штука. При всех различиях во внешности ослепительные красавицы былых времен имеют одну общую (и обязательную) тактико-техническую характеристику: они толстые или, по меньшей мере, полные.

До 19 века худая женщина по определению не могла считаться красивой, это был бы оксюморон. Само слово «добрый» означало «толстый» («раздобрел» — то есть «стал лучше»), а «худой» было синонимом слова «плохой». Так повелось, вероятно, еще с первобытных времен, когда еды постоянно не хватало и корпулентная подруга жизни на худой (again!) конец могла пригодиться в качестве продукта питания. Менее кровожадная версия предполагает, что с толстой женой/любовницей в плохоотапливаемых средневековых опочивальнях теплее спалось. Ну и репродуктивная функция, особенно важная для родовитых особ, которые и определяли вкусы, конечно, выглядит более перспективной при наличии широких бедер и мощного бюста. Остальные части тела значения не имели, и кривые ноги никак не могли понизить рейтинг чаровницы из-за недоступности взорам. У испанских королев, как известно, ног вообще не было.

Екатерина Первая — безродная полонянка, женившая на себе Петра Великого

Несравненная мадам де Помпадур

Я однажды призадумался, а где и когда, собственно, (и с кого) утвердился современный канон женской красоты? С каких пор пухляшки и толстушки перестали считаться королевами красоты, вытесненные худышками и замухрышками?

Вот результат моих скромных и доморощенных изысканий (если ошибаюсь, пусть специалисты меня поправят).

Место баталии, где Полнота была разгромлена Худобой, — город Париж.

Момент исторического перелома — пятидесятые и шестидесятые годы XIX века.

Виновник: императрица Евгения, супруга Наполеона III.

Эта дама вообще оказала огромное, определяющее влияние на наши нынешние представления о красивом в самых различных сферах. Мы и сегодня, сами того не понимая, во многом продолжаем следовать эстетическим пристрастиям «Испанки» (как ее неприязненно называли подданные).

Императрица Евгения (1826–1920), родоначальница современной моды

Главное историческое достижение Евгении состоит в том, что она вернула Парижу после многолетнего прозябания статус столицы мира. Париж, каким мы его знаем сегодня: бульвары, османовские дома, фасады Лувра, опера Гарнье — в значительной степени сформировал современные критерии «шика» и гламура, а все эти несколько кичеватые нарядности были отражением вкусов женщины, которую в девичестве звали Еухения Монтихо и которая в течение недолгих 17 лет была императрицей французов.

Парижу и прежде случалось занимать вакансию центра мировой моды — во времена Жозефины, или мадам де Помпадур, или мадам де Ментенон, — но в середине XIX века благодаря дамским журналам, телеграфу, всемирным выставкам, пароходам и железным дорогам скорость путешествий и распространения культурной информации многократно возросла. В Петербурге и в Нью-Йорке модницы чуть ли не назавтра узнавали о том, как на последнем балу была одета императрица Евгения, как изменились при ее дворе прически, нужно ли носить кринолин или пора с презрением от него отказываться, да какого объема надлежит быть турнюрам.

А поскольку Евгения по природной конституции была сухощава и, как женщина умная, руководствовалась принципом «делай из дефектов эффекты», она намеренно подчеркивала нарядами свое экзотическое телосложение, да еще окружила себя целым цветником придворных дам той же комплекции.

Сегодня мы сказали бы, что эти девушки относятся к категории среднеупитанных, но в те времена эта знаменитая картина Винтерхалтера, вероятно, производила впечатление парада скелетов.

С этой точки зрения любопытным памятником меняющихся взглядов на женскую красоту является роман «Анна

Недокормленные красавицы

Каренина», в котором Лев Николаевич, противник всяческих вредных модничаний, противопоставляет настоящую, естественную красавицу Анну (на ее полноту автор постоянно обращает наше внимание) изломанной и насквозь европеизированной Бетси Тверской с «ее длинным белым лицом» (см. вышеприведенный портрет императрицы) и неприятной сухопаростью. Но это уже плач по уходящему канону красоты. Отныне в западном мире будет царствовать противоестественая красота княгини Тверской.

Мужчин, как обычно, никто особенно не спрашивал. Большинство из них еще долгое время по-прежнему втайне предпочитали полненьких, но признаваться в этом вслух уже не осмеливались. Стандартный секс-компромисс самца из верхних слоев общества в конце 19 и начале 20 века выглядел так: дома — модно тонкая одухотворенная жена, а в борделе, где можно не прикидываться, — грудастая и задастая Зизи.

Потом, с появлением кинематографа, по толстушкам был нанесен окончательный удар. Голливуд завершил промывание мужских мозгов, и мужчины смирились с тем, что тонкое желаннее толстого.

Красота по-японски

Будучи япономаном по образованию и складу души, не могу оставить без внимания японские каноны красоты.

Понятно, что в дальнеисторические времена они сильно отличались от европейских. Например, классической красотке изысканной эпохи Хэйан (IX–XII вв.) полагалось выглядеть так, как изображает нижняя картинка.

Щеки должны быть круглы, как яблоки, ротик бантиком, глаза узенькие-преузенькие и тонкий носик. Особое значение придавалось белизне кожи, но эта проблема, как мы понимаем, легко решаема: толстый слой рисовой пудры, и никакой цикламен не превзойдет белизной лик красавицы.

Хороша, чертовка!

Здесь, однако, возникала новая сложность. По контрасту с кожей цвета первого снега сильно проигрывали зубы. Даже безупречно здоровые, без налета, они отдавали желтизной, и с этим дантисты-отбеливатели тысячелетней давности ничего поделать не могли. Поэтому тема зубов была закрыта с решительностью, достойной Малевича. Безвестный придворный стилист придумал красить зубы черным лаком — получалось эффектно и контрастно. Модным и изысканным считалось выражение скорбного изумления

Черноснежная улыбка *Правильные брови*

перед несовершенством мира и непостоянством кавалеров, поэтому брови у красавиц выбривались, а вместо них высоко на лбу сажей прорисовывались две косые черты.

Фигура, окутанная милосердным покровом кимоно, в расчет вообще не бралась. Из красот интимного свойства важное значение имела лишь чистота кожи. Так что никаких «на щечке родинка, полумесяцем бровь»! В эпоху Эдо специальные знатоки женской красоты выискивали по стране девочек без единой родинки на теле и покупали их, чтобы перепродать за бешеные деньги в наложницы владетельному даймё или богатому самураю. Если девица кривобока, косопуза или рахитична, пережить можно. Главное, чтоб без родинок.

А в Европе в ту же самую эпоху дамы нарочно наклеивали мушки, имитировавшие родинки, находя это украшение изысканным. (Началась эта мода с герцогини Ньюкасл, которая маскировала таким образом прыщики). Существовал даже особый «язык мушек», при помощи которого дамы посылали мессидж окружающему миру или отдельным его представителям.

Впервые о том, насколько различны и относительны представления о женской красоте, я задумался, когда студентом попал в Японию. Классический тип японки казался мне очень привлекательным, однако через некоторое время я обнаружил, что те девушки, которые кажутся мне красавицами, вовсе не слывут хорошенькими у моих туземных

Такую, с позволения сказать, красотку в Японии периода Эдо даже в «чайный дом» третьего ранга не приняли бы

приятелей. И наоборот. В моих отягощенных европейскими предрассудками глазах автоматически утрачивала привлекательность девица с кривыми зубами или ногами «баранкой», а и первых, и вторых там было невероятное изобилие, причем первые не робели сиять широкими улыбками, а вторые — носить мини-юбки. Оказалось, что два эти ужасных с русской точки зрения дефекта, равно как и весьма распространенная в Японии лопоухость, тамошней девице-красавице совершенно не в укор.

И это, господа, правильно!

Некоторые претензии к великому и могучему

В нашей поддержке и опоре, русском языке, есть некоторое количество инвалидностей, всегда вызывавших во мне раздражение.

Поскольку язык, как известно, на вербальном уровне регистрирует ментальность нации, отсутствие в нем некоторых слов кажется мне подозрительным и даже недопустимым. А поскольку я принадлежу к профессии, для которой Слово важнее Дела (вернее, Слово и является Делом), то у меня есть иррациональная надежда, что, если придумать отсутствующие в языке слова, то и сами понятия, ими обозначаемые, немедленно появятся.

Ну вот как, к примеру, объяснить отсутствие у глагола «победить» будущего времени в единственном числе? Я вижу в этой загадочной прорехе: 1) признак национального пессимизма; 2) неверие в силы одного отдельно взятого человека, причем не кого-то там («он» или «она» запросто «победит») и не коллектива («мы победим», это без вопросов), а неверие лично в себя.

Поэтому предлагаю ввести в употребление слово ПОБЕЖДУ, впечатать его во все словари. И сразу же после этого уяснить, что мне (а не кому-то там) всё под силу, твердо поверить в персональное светлое будущее и немедленно начать побеждать.

Труднее будет с другим отсутствующим словом – courage, Mut, valore, 勇気. По-русски оно отдает чудовищным шовинизмом – «мужество», и как-то само собою ясно, что качество это изначально и сущностно принадлежит бреющейся половине человечества. Во-первых, это оскорбительно для эпилирующей половины человечества; во-вторых, наглая ложь. Помимо того что женщины в критической ситуации проявляют не меньше стойкости, верности и бесстрашия, чем мужчины,

есть еще особые разновидности courage, характерные только для женщин. Назову их пока «женское мужество», чтобы вы лишний раз убедились в абсурдности обвиняемого слова.

Пример № 1. Герцогиня Беррийская

Эта прекрасная собой дама оказалась в центре воспаленного внимания всей Франции 1820 года. Ее мужа, герцога Беррийского, единственного из Бурбонов, по возрасту еще способного иметь потомство, зарезал кинжалом республиканец — именно для того, чтоб Бурбоны остались без потомства, чтоб династия пресеклась и Франция вновь стала республикой.

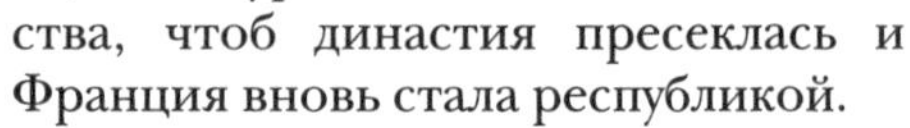

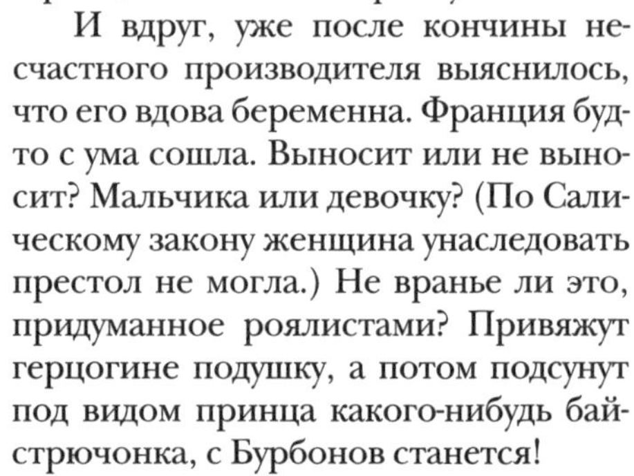

И вдруг, уже после кончины несчастного производителя выяснилось, что его вдова беременна. Франция будто с ума сошла. Выносит или не выносит? Мальчика или девочку? (По Салическому закону женщина унаследовать престол не могла.) Не вранье ли это, придуманное роялистами? Привяжут герцогине подушку, а потом подсунут под видом принца какого-нибудь байстрючонка, с Бурбонов станется!

Этого младенца, созревающего в утробе, заранее обожали и ненавидели слишком многие. Отвратительна история с ночным взрывом, который ненавистники устроили под окнами беременной женщины, чтоб она от испуга выкинула. Не на ту, однако, напали! Герцогиня обманула надежды непрошеных абортионистов, да еще и благодушно попросила их помиловать.

Наконец в положеный срок настал час родов. Представители бонапартистов потребовали, чтобы их делегаты присутствовали при этом событии — примерно как в наши времена наблюдатели присутствуют на избирательном участке. В том, что герцогиня беременна по-настоящему, уже никто не сомневался, но ребенок мог родиться мертвым или бесполезным (то есть девочкой) и требовалось проследить, чтоб младенца не подменили. Возглавлял наблюдателей маршал Суше.

Роды августейшей особы — мероприятие официальное

В ключевой момент роженица велела ему приблизиться и перерезать пуповину. Герой Иены и Сарагоссы при виде окровавленной плоти и скользкого младенца (крепенького мальчика!) в простительном, сугубо мужском ужасе попятился, а герцогиня на него прикрикнула: «Mais tirez donc, M. le Marechal!» (Да тяните же, господин маршал!)

Вопрос: Назовем ли мы поведение герцогини Беррийской «мужественным»?

Пример № 2. Императрица Евгения

Я намеренно в качестве примера беру августейших дам столетия, когда женщин было принято считать эфемерными и беспомощными созданиями — «слабым полом».

Вот, стало быть, изящная лилия — супруга Наполеона III (к этой незаурядной даме я давно неравнодушен). Сентябрь 1865 года. В Париже эпидемия холеры. Город охвачен паникой, того и гляди вспыхнет бунт.

Императорская чета в это время отдыхала в Биаррице, но немедленно примчалась в столицу. Наполеон начал наводить порядок, учреждать карантины и грозить смутьянам строги-

Одна из самых удивительных женщин XIX столетия

ми карами — то есть повел себя обычным для мужчины дуболомным образом.

Что сделала Евгения? Посетила все холерные бараки города, пожала руку КАЖДОМУ больному и всего лишь пожелала им выздоровления. Свиту всякий раз оставляла снаружи, чтоб не заразились.

Когда о поведении Евгении узнали парижане, город успокоился и паника утихла.

На следующий год та же история повторилась в городе Амьене, куда Евгения приехала специально, чтобы снова прикоснуться к каждому из заболевших. Амьенский епископ и маршал Вайян, сопровождавшие императрицу, заявили протест — она не имеет права так собой рисковать. Епископу она ответила: «Вы лучше позаботьтесь о собственном здоровье». Вайяну сказала: «Маршал, вот так ведут себя под неприятельским огнем женщины».

Простим терминологическую некорректность мужской шовинистической свинье Бисмарку, который в 1870 году назвал императрицу Евгению «единственным мужчиной в Париже». Мы ведь поняли, что он хотел этим сказать.

Однако мы, в отличие от Бисмарка, живем в эпоху, когда женщин уже не считают слабым или второстепенным полом. Как же нам быть с одним из самых привлекательных человеческих качеств?

Давайте придумаем правильное слово или найдем такой перевод для courage, чтоб был без гендерного жуханья.

Фото как хокку

Поскольку я сам без конца выдумываю людей и сюжеты, которых никогда не было, и выдаю эту фикцию за исторические романы, во мне глубоко укоренено иррациональное недоверие ко всем произведениям искусства, изображающим персонажей и события прошлого.

Гляжу я, скажем, на картину, где генерал Раевский ведет в героическую атаку своих малолетних сыновей, и говорю себе: «Всё брехня. И сыновей в атаку не вел, и вообще бой наверняка выглядел совершенно иначе». Это еще ладно. Но у меня бывает, что я смотрю на хрестоматийный портрет

«Сей анекдот сочинен в Петербурге», — говорил Раевский

Пушкина и ловлю себя на мысли: а вдруг Александра Сергеевича придумали учителя литературы? То есть я, конечно, знаю, что Пушкин существовал на самом деле, но видел-то его Кипренский, не я, а где он сейчас, тот Кипренский, и правдиво ли изобразил поэта?

Другое дело – фотографии. Вот люди, снятые беспристрастной, лишенной воображения фотокамерой, они точно существовали. Поэтому все, кто жил в дофотографическую эпоху – Шекспир, Ломоносов, Моцарт, Пушкин с Лермонтовым – в моем восприятии полумифичны. В отличие от Бальзака, Гоголя, Тургенева и последующих классиков, чья реальность подтверждается фотоснимком или дагерротипом.

Как вы уже догадались, я очень люблю старинные фотографии. Они меня просто завораживают. У меня возникает ощущение, что каким-то чудом я подглядел в замочную скважину времени и увидел навсегда канувший мир таким, каким он был на самом деле. А от этого всего один шаг до не столь уж фантастической гипотезы: если минувшее может сохраняться на картинке, быть может, *оно вообще не исчезает*? Что, если люди, которых больше нет, где-то все-таки существуют? На снимке ведь они остались.

Все фотографии календаря выглядели примерно так

Недавно мне подарили календарь с фотографиями Москвы времен романа «Азазель». Чем-то они меня разбередили. Была в них какая-то нехорошая, пугающая тайна. Я долго не мог понять, что меня так растревожило.

А потом сообразил – и ахнул.

На улицах не было людей! Город остался, а населявшие его жители исчезли — будто после смерти утащили на тот свет и свои отражения.

Потом, конечно, я понял, в чем дело. Выдержка на тогдашних несовершенных камерах была очень длинной. Прохожие и движущиеся экипажи просто не успевали запечатлеться в кадре. На некоторых снимках, если приглядеться, можно разобрать смутные тени — это кто-то ненадолго остановился, или извозчик высаживает седока. В результате получилась мистическая Москва, населенная призраками прежних москвичей.

Я стараюсь не пропускать ни одной выставки фотографий девятнадцатого века. Чем снимок старинней, тем он мне интересней. Но болваны-фотографы в основном запечатлевали нотр-дамы, колизеи и кремли, которые с тех пор не особенно изменились, современников же снимали мало, потому что те вертелись, моргали, и портреты получались смазанными. Фотографы того времени не знали, что на свете нет ничего интересней живых людей.

Посмотрите, например, на этого дедушку (справа). →

История сохранила его имя: Конрад Хейер (1749–1856), но можете считать, что это никто и звать его никак. Подвигов этот старичок не совершил, ничем не прославился. Зато он — самый (извините за неуклюжее слово) раннерожденный житель Земли, чье документальное изображение до нас дошло. Конрад Хейер, снятый здесь в столетнем возрасте, появился на свет в *тысяча семьсот сорок девятом году*! Это год, когда — только вообразите — был еще жив Иоганн Себастьян Бах! Благодаря мутному портрету *человека из 1749 года* и Бах, и всё, что существовало в ту отдаленную эпоху, будто легитимизируется, доказывает свою подлинность. Во всяком случае, для меня.

А среди старых фотографий я больше всего люблю те, которые похожи на хокку. Лучшие из японских трехстиший раскрывают свой смысл не сразу, требуют некоего дополнительного знания. Например, однажды я взял и выудил толстенный двухтомный роман из крошечного стихотворения Тиё:

Мой ловец стрекоз,
О, как же далеко ты
Нынче забежал.

Если не знать подоплеки[1] – белиберда. Пожмешь плечами, перелистнешь страницу.

Так же бывает и со снимками. У меня накопился целый файл фотографий, на первый взгляд ничем не примечательных, но за каждой прячется целая история.

Вот вам маленькая загадка.

Чем интересен этот дагерротип, сделанный в 1840 году?

Неправильный ответ: тем, что на групповом снимке никто не моргает и все очень правдоподобно изображают естественность, а дядя в очках даже как бы непринужденно наклоняется (в этой позе он должен был проторчать примерно минуту).

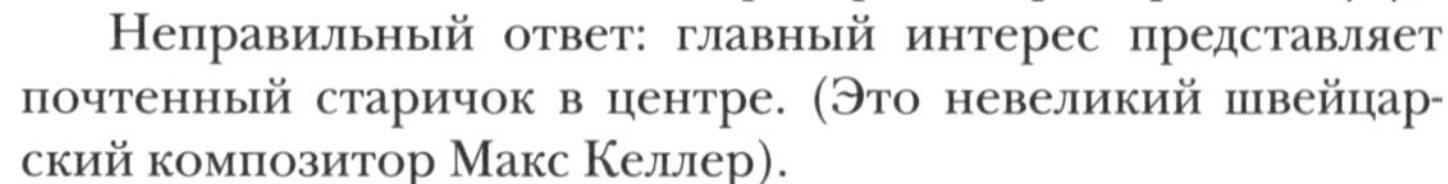

Неправильный ответ: главный интерес представляет почтенный старичок в центре. (Это невеликий швейцарский композитор Макс Келлер).

[1] Хокку посвящено смерти маленького сына поэтессы, которая после этого стала монахиней.

Правильный ответ: цепенеем от старушки в чепчике, которая сидит слева.

Подсказка: вот она же на портрете 1782 года, в двадцатилетнем возрасте.

Догадались, кто это?

На старинном дагерротипе, найденном в муниципальном архиве баварского городка Алтеттинг, запечатлена (у историков были сомнения, но теперь это точно установлено) Констанция Вебер, вдова Моцарта! Ей здесь 78 лет. Она намного пережила великого супруга, побывала второй раз замужем, а незадолго до кончины, навещая своего друга Келлера, минутку посидела перед диковинным аппаратом, честно стараясь не шевелиться.

Только увидев этот снимок, я окончательно поверил, что Моцарт был на самом деле, и любил свою некрасивую «женушку», и сочинил «Реквием», заказанный черным человеком, и вскоре после этого умер. Представляете? Всё правда!

Черный юмор судьбы

Мой герой Эраст Фандорин однажды говорит (опять сумимасэн за самоцитирование), что по-настоящему страшится только одной вещи на свете: «Боюсь умереть так, чтобы все потешались.

Одно это про тебя потом и будут помнить». Он приводит в качестве примера французского президента Фора (1841–1899), обстоятельства смерти которого (скоротечный кондратий в момент греховных удовольствий) полностью заслонили в глазах публики все свершения его жизни.

В словах Эраста Петровича, конечно, есть отзвук тщеславного «комплекса этернизации» – желания импозантно смотреться даже после своей кончины. Казалось бы, велика ли важность, на какой ноте закончилась симфония выдающейся жизни? Но почему-то диссонирующий обрыв струны в финальном аккорде мучительно застревает в памяти. Досадно и горько, если случай ляпнул жирную кляксу в конце биографии большого человека.

Одно время я коллекционировал страшилки этого жанра, пытаясь обнаружить в злых каверзах Смерти какой-то скрытый смысл. Не обнаружил.

Надо сказать, что у романтического красавца Фандорина есть серьезные основания бояться какой-нибудь вампуки под занавес, потому что Рок во все времена очень любил постебаться над картинными супергероями, преодолевшими тысячу опасностей, только чтоб в конце пасть жертвой банановой кожуры под каблуком или получить удар пресловутым кирпичом по кумполу.

Последнее, например, случилось с великим царем Пирром, победителем римлян. Согласно одному из преданий, во время триумфального шествия по родному Эпиру какая-то патриотическая дама в чрезмерной ажитации сшибла с балкончика цветочный горшок, и тот проломил герою увенчанное лаврами чело.

Зачем Пирр снял эту каску?

А на кожуре (правда, апельсиновой) фатальным образом поскользнулся Бобби Лич (1858–1926), специализировавшийся на трюках фантастической смелости. Много раз он обманывал Смерть, выходя сухим из воды – или мокрым и ломаным-переломанным, но живым.

Помню, какое чувство обиды я испытал, когда впервые прочитал о кончине великого астронома Тихо Браге. Про него, бедного, обычно только и вспоминают в связи с обстоятельствами кончины. Ну а я не буду. Тихо Браге – это основатель практической астрономии, он прожил интересную и важную для науки жизнь, а потом умер. И точка.

Как автора детективных романов, меня бесконечно возмущает гаерский цинизм, с которым судьба поглумилась над человеком легендарной храбрости и удачливости, Аланом Пинкертоном (1819–1884) – самым известным в истории сыщиком, первым настоящим профессионалом этого рискованного ремесла.

Вот Боб Лич с бочкой, в которой он совершил прыжок с Ниагарского водопада. Лучше б под ноги смотрел

Алан Пинкертон. Серьезный господин. С ним никто не смел шутить шутки. Кроме Судьбы

Вся его жизнь была сплошным приключенческим романом, он постоянно ходил по лезвию бритвы – и благополучно выбирался из любых передряг.

А умер из-за того, что на городской улице поскользнулся и прокусил себе язык – так сильно, что началось заражение. Великий хранитель государственных и приватных секретов всегда умел держать язык за зубами, а тут вот не получилось.

Я всё понимаю. Слышал и про суету сует, и про «сильные унизятся, гордые будут низложены», но все равно, господа: это не Промысел Божий, а какие-то воландовские шуточки, жестокие и весьма дурного вкуса. Да-с!

Последний век дуэли

В подростковом возрасте меня, как многих мальчишек, завораживала тема дуэли.

Полагаю, из-за контраста между красивым, ритуализированным душегубством, описанным у Дюма или Лермонтова, и безобразно хаотичным мордобоем, когда на тебя, очкарика, налетают гурьбой кузьминские гвардейцы кардинала и молотят безо всякого политеса, притом вовсе не из-за жемчужных подвесок или батистового платочка, а из-за отказа дать двадцать копеек. Нет бы им подойти, сказать: «Шевалье, мне не нравится цвет вашего берета». Я бы ответил что-нибудь сдержанно-мужественное. И завязался бы бой, после которого сраженный пожимает руку победителю и ничье достоинство не страдает. Но мне было ясно, что времена дуэлей, увы, остались в далеком-предалеком прошлом.

Одна из рапир отравлена. («Весь мир театр». Художник И. Сакуров)

Позднее я компенсировал эту досадность в своих романах. У меня там куча сцен, в которых персонажи дерутся на поединке: палят из пистолетов, фехтуют шпагами и саблями, стреляются на брудершафт, пьют залпом по жребию царскую водку и прочее подобное.

Однажды я заинтересовался: а когда, собственно, этот варварски-романтический обряд окончательно вышел из употребления? Я полагал, что он почил вместе с девятнадцатым веком (который, как известно, на самом деле закончился в 1914 году), но выяснилось, что это не совсем так. Угасание института дуэли происходило долго и растянулось на десятилетия.

Мировая война не только радикально сократила агрессивную мужскую популяцию планеты, но и лишила дуэль прежнего драматизма. Падешь ли ты, стрелой пронзенный, иль мимо пролетит она – эка важность, после миллионов и миллионов смертей.

Однако в двадцатые и тридцатые годы время от времени дуэли всё же случались. Это было довольно колоритное смешение атрибутики разных эпох. Несколько таких дуэлей описано в отличном исследовании Ричарда Хоптона «Пистолеты на рассвете».

В 1926 году на парижском велодроме сошлись в фехтовальном поединке председатель правления нефтяного концерна и журналист. Сразу представляешь, как, допустим, г-н Сечин рубится на шпагах, допустим, с Алексеем Венедиктовым. Французский Венедиктов пропорол французскому Сечину руку.

В 1934 году, тоже в Париже, дрался на дуэли депутат парламента Эсси, и опять с журналистом. Было предусмотрено четыре выстрела с 25 шагов, то есть условия вполне серьезные, но никто не попал. Зато эту канонаду засняла кинокамера.

В мае 1938 года руководитель «Комеди Франсез» Эдуар Бурде и драматург Анри Бернштейн встретились у барьера вследствие художественного конфликта: не сошлись во взглядах на постановку пьесы. (Отлично понимаю автора!) За ристалищем наблюдали журналисты и публика, на улицах образовалась транспортная пробка. Драматург победил (yess!), проткнув гаду-постановщику плечо.

В Германии между войнами продолжала процветать буршеская традиция «мензуров», студенческих поединков на саблях. Считалось, что шрам на физиономии – отличное украшение для молодца. Вплоть до начала войны в армии и в СС дуэли даже поощрялись как триумф воли и акт арийского мужества.

Бывшие бурши со следами студенческой лихости (справа).

В пассионарной Латинской Америке мода на дуэли в этот период даже достигла апогея. Так, в 1930 году из-за дамы застрелили друг друга в ковбойском поединке экс-президент Парагвая и его обидчик.

Эрнст Кальтенбруннер

Отто Скорцени

Уругвайский президент Ордонез убил на дуэли депутата парламента, а другой президент той же страны Брум дрался с редактором оппозиционной газеты.

URUGUAY PRESIDENT WILL FIGHT DUEL

Challenges Dr. Larreta, Director of El Pais, to Meet Him on Field of Honor.

HIS OPPONENT ACCEPTS

Feud Grows Out of Newspaper Criticisms Which Caused Killing of Beltran by Ordonez.

MONTEVIDEO, Uruguay, April 24.—Baltasar Brum, President of the republic, has challenegd Dr. Rodriguez Larreta, director of the newspaper El Pais, to a duel. Dr. Larreta has accepted the challenge.

The differences between them are the outgrowth of an article in El Páis attacking the President following his address on inter-American affairs before the students of the University of Montevidio last Wednesday.

Jose Brum, the President's brother, took up the criticism on Thursday and sent to Dr. Larreta a challenge to a duel. Dr. Larreta at first refused the challenge. He issued a statement Friday morning in which he said:

"Dr. Brum is not maimed nor aged, which are the sole circumstances by which the code of honor admits his being supplanted. To battle or not to battle depends solely upon him."

Thereupon the President named Deputies Minelli and Chigliani as his seconds and sent them to Dr. Larreta with another challenge. Dr. Larreta, who is also a deputy, accepted and named Deputies Lussich and Morales as his seconds.

Казалось бы, Вторая мировая война должна была поставить точку в дуэльной саге. Концлагеря вкупе с ядерными взрывами окончательно деромантизировали душегубство во всех его проявлениях. Дуэль (в юридическом смысле — покушение на умышленное убийство) лишилась последних следов былой импозантности.

Но не для всех.

Знаете, когда и где произошла последняя зарегистрированная громкая дуэль в травоядной и политкорректной Европе?

В 1967 году. Дрались (на рапирах!) марсельский мэр (!!), коммунист (!!!) Гастон Деферр с депутатом-голлистом Рене Рибьером, который обозвал руководителя городского муниципалитета «идиотом». Представитель прогрессивных сил победил, нанеся реакционеру два ранения.

Подумать только — произошло это рубилово в то самое время, когда я, пятиклассник с московской окраины, почитал поединки безвозвратно ушедшей стариной...

Будет продолжение.

Дуэль как балет

Хочу поподробней, прямо-таки с умилением, рассказать об одной из последних (и безусловно самой распиаренной) дуэли двадцатого века.

Это был изысканный оммаж обычаям ушедшей эпохи, истинное па-де-де дуэльного искусства. Газета «Нью-Йорк таймс» назвала поединок «самой деликатной дуэлью в истории». Тут каждая деталь – прелесть.

Во-первых, абсолютно прекрасны участники. Наш соотечественник Серж Лифарь (Сергей Михайлович Лифаренко), великий танцовщик и балетмейстер, сразился с выдающимся балетным импрессарио маркизом де Куэвасом, чилийцем по рождению, американцем по паспорту и испанцем по титулу (а кроме того зятем Рокфеллера).

Во-вторых, уважительна причина: спор из-за постановки балета «Черное и белое».

В-третьих, чудесен антураж, где был брошен вызов: фойе театра «Шанзелизе».

Дело происходит в 1958 году. Для справки: Элвис Пресли уже поет, спутники уже летают, Майкл Джексон уже родился, Владимир Владимирович Путин скоро пойдет в первый класс.

Оскорбленный мнением Лифаря о спектакле, маркиз изящным жестом не столько наносит, сколько прорисовывает пощечину закрытой кистью руки. Серж Лифарь в ответ бросает обидчику в лицо свою борсетку. Следует картель. Хоть Лифарь – оскорбленная сторона, он предоставляет противнику выбор оружия, потому что маркиз на двадцать лет старше (одному дуэлянту 52 года, другому 72, то есть возраст уже не петушиный).

За подготовкой обоих антагонистов к бою следит вся пресса.

Вот Лифарь позирует на уроке фехтования:

Маркиз, старый головорез, спокойно ждет дня дуэли:

Секундантами у балетмейстера два танцовщика. У маркиза — собрат-импрессарио и Жан-Мари Ле Пэн (тот самый).

Пресса сходит с ума от восторга. Противники дают интервью направо и налево.

Наконец часы урочные пробили.

В живописном месте, на пленэре, в присутствии полусотни репортеров, разыгрывается балет.

Выглядит это вот так:

Все остались живы, Лифарь получил царапину, а завершилась история трогательными слезами и объятьями.

Спящая красавица

Поведаю вам историю некоего поцелуя. Первоисточник – замечательно интересный «Дневник» Сэмюэла Пипса (1633–1703).

Это он – Пипс. Ноты в руке, потому что меломан

Но сначала – про Екатерину Валуа, вдову английского короля Генриха V. Она умерла в 1437 году и, как подобает венценосной особе, была похоронена не в земле, а в крипте Вестминстерского аббатства.

Как говорится, шли годы. Однажды, уже в следующем столетии, гроб переносили с одного места на другое, крышка соскочила, и оказалось, что покойница недурно сохранилась – мумифицировалась, но не истлела.

На картинке не мумия, а деревянное изображение Екатерины, по традиции использовавшееся на церемонии похорон, но полагаю, что мощи выглядели примерно так же или, может, чуть хуже (см. следующую страницу).

Королева как королева, ничего особенного

Жизни Екатерина была не особенно праведной, поэтому из-за одной только нетленности причислять ее к лику святых никому в голову не пришло. Но с этого дня у церковных сторожей возник новый источник приработка. За небольшую плату они открывали гроб и показывали ее величество всем желающим. Посмотреть (чуть было не написал «на живую») королеву хотелось очень многим. Покойница стала чем-то вроде туристического ат-

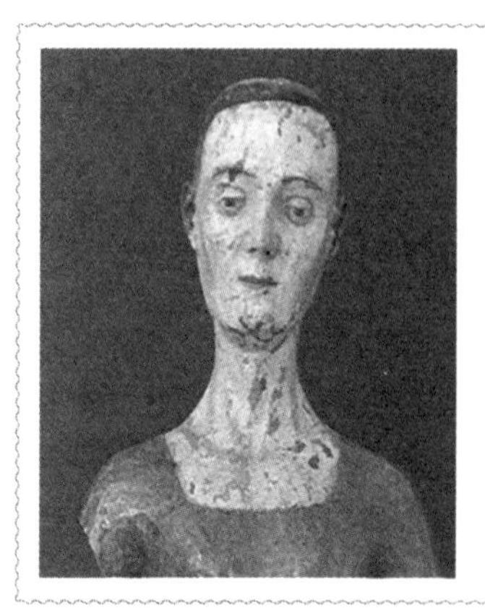

тракциона и профункционировала в этом качестве аж до конца восемнадцатого века, когда нравы начали усложняться и покойницу убрали в подобающее место.

В 1669 году Сэмюэл Пипс решил сделать себе в день рождения королевский подарок. *«В Жирный Вторник 1669 Года я отправился в Аббатство и по Везению смог увидеть Тело Королевы Екатерины Валуа, и я обнял Туловище и поцеловал Королеву в Рот, подумав в Миг Поцелуя: вот, я целую Королеву, а ныне мой День Рождения, мне тридцать шесть Лет, и я в своей Жизни целовал Королеву».*

(Пипс еще не знал, что Королеве тоже было тридцать шесть Лет, и они в некотором Роде Ровесники, а то он еще больше бы обрадовался.)

Это я к чему рассказываю?

Во-первых, ужасно жаль бедную королеву. Она же не Ильич и не натворила ничего такого, за что ее бедные останки надо было бы выставлять на многолетнее глазение.

А во-вторых, кремация, только кремация! Даже не отговаривайте. Душа, разлучившись с телом и воспарив в иные миры, не должна бросать свое былое обиталище на тлен и поругание. Потому что мы в ответе за тех, кого любили.

Всесожжение, очистительный огонь, никаких костей-червей-черепушек.

(Вот кто-нибудь обязательно скажет, что мне заплатили за продакт-плейсмент крематорного бизнеса.)

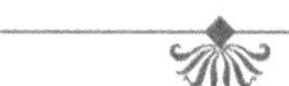

Яблоко от яблони

Всем более или менее ясно, что гениальность по наследству не передается, законы генетики тут не действуют, на детях талант отдыхает, эт цетера.

И всё же потомки великих людей вызывают у нас повышенный интерес: мы смотрим на них и ждем повторения чуда. А оно, увы, не повторяется.

Я думаю, если выстроить рейтинг исторических личностей, которые произвели самое большое впечатление на человечество, первое место достанется Наполеону Бонапарту. Корсиканский дворянчик в считаные годы взлетел на самый верх могущества, изменил историю планеты и так же стремительно, словно падающая комета, рухнул. Ничего сравнимого по драматизму в истории, пожалуй, не было. Ну разве что Александр Македонский, но он был царский сын, жил слишком давно и многие из сохранившихся о нем сведений легендарны.

У самого Наполеона, как известно, кроме рано умершего Орленка, законного потомства не было. Но магия фамилии столь сильна, что от любого, кто звался «Бонапарт», современники ожидали каких-то исключительных свершений. Одного из племянников Корсиканца, человека вполне заурядного, эти благоговейные ожидания даже вознесли на императорский трон — но новый Наполеон оказался «маленьким», и его держава с треском развалилась.

Всем последующим Бонапартам (а их было множество) не выпало даже крупиц величия. Я насчитал лишь троих представителей этого разветвленного рода, которые представляют хоть какой-то интерес.

Первый из них подавал большие надежды. Всем казалось, что он возродит династию в прежнем блеске.

Единственный сын Наполеона III и прекрасной Евгении Монтихо, принц Наполеон-Эжен-Луи-Жан-Жозеф Бо-

Яблоня и яблоки

напарт с четырнадцати лет, после того как в эмиграции скончался его свергнутый революцией 1870 года отец, считался у бонапартистов «императором Наполеоном IV». Он бы, несомненно, им и стал – всё шло к тому. Французы быстро разочаровались в демократии, стали тосковать по монархии. (Нам эта приливно-отливная особенность массового сознания хорошо знакома: после революций общество хочет «сильной руки» и готово пожертвовать свободой ради порядка; потом оказывается, что «сильная рука» порядка не гарантирует, и все снова начинают хотеть свободы.)

Юноша подрастал, добросовестно учился быть образцовым императором. Принцу с таким именем требовался некоторый ресурс боевой славы. Поэтому двадцатидвухлетний лейтенант британской службы отправился за моря – в военную экспедицию против зулусов: красиво, экзотично, напоминает Египетский поход великого двоюродного деда и не особенно опасно. Подумаешь, какие-то дикари. Ну и вообще с особами августейшей крови ничего плохого случиться не может.

Однако случилось.

1 июня 1879 года, улизнув от опеки начальников, принц отправился с маленьким отрядом кавалеристов на рекогнос-

цировку – а фактически просто на конную прогулку по саванне.

В заброшенном краале остановились отдохнуть. Вдруг откуда ни возьмись появились несколько десятков чернокожих воинов с ассегаями. С принцем было восемь человек. Трое были убиты на месте, остальные вскочили в седла и кинулись наутек. У лошади Наполеона лопнула подпруга, он упал. Побежал, но где ему было уйти от быстроногих зулусов. Пробовал отстреливаться...

Офицера, который бросил его высочество на погибель, потом отдали под трибунал, но для бонапартистов это стало слабым утешением. Надежда на возрождение империи была пронзена восемнадцатью копьями и затем выпотрошена. Воин по имени Хлабанатунга произвел эту ритуальную операцию, чтобы дух белолицего смельчака не докучал своим убийцам.

История определенно не желала, чтобы Франция вернулась к монархии. Только этим могу объяснить нелепую смерть «Наполеона IV».

Еще один Бонапарт (Луи-Наполеон-Жозеф-Жером (1864–1932) в истории особенного следа не оставил, но нам с вами интересен, потому что стал российским подданным.

Окончательная гибель империи. (Картина Поля Жамена)

Как и все потомки монархических династий, изгнанные из Франции законом 1886 года, принц был вынужден искать новую родину и обрел ее в России. Служил офицером в драгунском Нижегородском полку, командовал лейб-уланами, потом кавалерийской дивизией. Участвовал в подавлении революционных беспорядков 1905 года на Кавказе. Пик карьеры – генерал-лейтенант и эриванский военный губернатор.

Людовик Иосифович Бонапарт — русский улан (великий предок, наверное, в гробу перевернулся)

Ни административными, ни военными талантами Son Altesse Imperiale, кажется, не отличался, но лично мне он симпатичен тем, что любил Японию и после революции довольно долго в ней прожил. А больше мне про него вам рассказать нечего.

Ну и последний примечательный Бонапарт: Шарль-Жозеф (1851–1921), тоже вынужденный жить вдали от республиканской Франции.

Феликс Эдмундович Бонапарт

Его ветвь выбрала для места жительства США, поэтому Чарльз-Джозеф именовался не His Imperial Highness, а просто «мистер Бонапарт». Возможно, избавление от титула помогло бывшему принцу смотреть в будущее, а не ностальгировать по былому величию. Во всяком случае, из всех поздних Бонапартов этот – самый успешный. Он был военно-морским министром, позднее министром юстиции в правительстве Теодора Рузвельта. Но главное историческое свершение – создание Bureau of Investigation, которое сегодня называется ФБР. Стало быть, для сотрудников этой мощной структуры Чарльз Бонапарт – что-то вроде Феликса Дзержинского.

Все-таки яблоки от яблони иногда укатываются очень далеко.

Чтоб помнили

Когда-то давно, отдыхая на черноморском побережье, я каждое утро подходил к окну и видел на соседней горе надпись «КОЛЯ».

Кто-то выложил ее из белых камней бог знает сколько лет назад, вероятно, потратив на этот титанический труд не одну неделю.

Неведомым Колей двигал некий могучий инстинкт, по молодости лет казавшийся мне загадочным. Это явно был мессидж, причем важный, но я его не понимал. Хотелось ответить горе: «Ну и дурак ты, Коля», а это, согласитесь, неконструктивно.

Впоследствии мне часто встречались подобные мессиджи. Я встречал следы творчества Колиных собратьев повсюду — на родине и за ее пределами. Чаще всего эти бесхитростные граффити менее монументальны, но обязательно маркируют нечто выдающееся: если не гору, так историческую достопримечательность или памятник. Коля непременно высекает на этих скрижалях свое имя — и всё. Иногда прибавляет год или место, откуда он приехал.

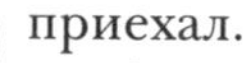

Чтоб помнили

Со временем я понял, что это не хулиганство и не намеренный вандализм. Это низшая форма, в которой проявляется одна из самых высоких человеческих амбиций — желание увековечить собственное имя, то есть продлить свое существование за пределы физической жизни, остаться в памяти грядущих поколений. Есть и специальный термин для обозначения этой потребности: этернизация.

Просто увековечить себя можно по-разному. Один строит храм — другой его сжигает. Один оставляет после себя прекрасную статую, другой — надпись гвоздем на статуе.

Но что бы там, на статуе, ни было накорябано, мессидж кричит об одном и том же: «Скажите всем там вельможам разным: сенаторам и адмиралам, что вот, ваше сиятельство, живет в таком-то городе Петр Иванович Бобчинский. Так и скажите: живет Петр Иванович Бобчинский».

Там есть что почитать

Всего однажды, да и то по удивительному стечению обстоятельств, мне повезло вытащить из небытия краешек давно канувшей жизни этакого Петра Ивановича (а впрочем, отчество осталось мне неизвестно).

Был я в Иерусалиме подле Храма Гроба Господня и, по своему обыкновению, вместо того чтоб благоговеть или любоваться архитектурой, с интересом всматривался в граффити на деревянных дверях собора.

Увидел надпись кириллицей: «Петър. Копривштица. 1860». К своему стыду, что означает второе слово, я не знал, и, вероятно, оно выскочило бы у меня из головы, если б не странное совпадение. Сразу после Израиля мне предстояло ехать в Болгарию — смотреть локации перед написанием сценария «Турецкого гамбита». Вечером в гостинице сел я изучать пришедший по мейлу маршрут грядущей поездки. Гляжу — знакомое название. Оказывается, это такой болгарский городок и скоро я через него проеду. Я, подивившись, покачал

головой и, естественно, забыл про Петра из Копривштицы, исцарапавшего дверь святилища.

А через неделю вспомнил. Потому что, будучи в Копривштице и заглянув (опять-таки по обыкновению) на местное кладбище, я обнаружил там могилу некоего Хаджи Петра (хаджи — это человек, совершивший паломничество ко Гробу Господню), и годы жизни были подходящие. «Ну, здравствуйте, Петр Иванович, — сказал ему. — Когда-нибудь обязательно расскажу про вас всем вельможам с адмиралами». Что я, собственно, сейчас и делаю.

Предлагаю вашему вниманию несколько фотографий из своей Коллекции (в данном случае от слова «Коля»).

Это статуя XVI века из зала средневековой скульптуры в Лувре:

А это вид вблизи. Приятно знать, что во времена Д'Артаньяна грамотность уже была так распространена

Вот пушка с 4 бастиона, доблестно защищавшая Севастополь:

А это какой-то придурок Митя увековечил себя на героической пушке зубилом.

Близ французской деревни Сен-Реми-де-Прованс чудом сохранилась прекрасная римская арка:

А на ней в год смерти Людовика XIII отметился некий Адриан Лонгве, помянем его недобрым словом.

P.S. Что примечательно – ни разу не видел, чтобы подобным образом свое имя пытались обессмертить женщины. Не знаю, чем это объяснить. То ли у женщин руки менее неуемные, то ли похоть этернизации – сугубо мужской синдром.

Откуда что берется – 1

Я подумал, что тем из вас, кто читал мои книжки, будет любопытно узнать, как трансформируется факт, становясь беллетристикой.

Я никогда не скрывал, что многие эпизоды/персонажи/коллизии выхватываю из истории или из «большой» литературы, переиначивая их на свой лад. Эта литературно-историческая угадайка является одной из несущих опор всего акунинского проекта. Какие-то вещи лежат на самой поверхности, вроде очерков Гиляровского или «Штабс-капитана Рыбникова», другие требуют более высокого уровня начитанности, а есть протосюжеты вовсе малоочевидные. Наглядно продемонстрирую, «откуда растут уши, не ведая стыда».

Чистосердечно признáюсь, как возникла одна из локальных линий моего старого романа «Смерть Ахиллеса». Прошу засчитать это как явку с повинной.

Кто читал книжку, вероятно, помнит, как хладнокровный душегуб Ахимас педантично доит Рулетенбургское казино, основываясь на математическом расчете и неисчерпаемости своих денежных ресурсов. И всё у гада отлично получается, а казино терпит, ибо придраться не к чему – игра честная (да и человек таков, что лучше не связываться).

Такая же беда – и в том же 1873 году – приключилась с казино в Монте-Карло. Правда, там принцип «относительно честного отъема денег» был иной, позамысловатей.

Некий английский инженер по имени Джозеф Джаггер, много лет проработавший на ткацкой фабрике в тоскливом Йоркшире, решил поехать на Лазурный Берег и выиграть кучу денег на рулетке. Подобные озарения много кому приходят в голову, на этих веровrouteлях в счастливую судьбу держится весь игорный бизнес.

Но Джаггер делал ставку не на удачу, а на точный расчет.

Он нанял шестерых помощников, которые в течение шести дней записывали все выигрышные номера, выпадавшие на шести столах казино. Потом просмотрел записи и обнаружил, что пять рулеток нормальные, а шестое колесо слегка дисбалансировано: девять ячеек на нем «ловят» шарик чаще, чем остальные двадцать восемь.

То самое казино в то самое время

Поначалу всё было очень просто. Джаггер снова и снова ставил на девять заветных цифр и к концу первого дня снял урожай почти в полмиллиона франков. (Напомню: Алексей Иванович, герой романа «Игрок», совершенно ошалевает от фантастического выигрыша в двести тысяч.) Только на исходе четвертого дня администрация казино заподозрила в этой непрекращающейся везучести неладное. К этому времени выигрыш Джаггера вырос вчетверо.

Целую ночь специалисты решали шараду и пришли к выводу, что проблема в соединении рулетки со столом.

Назавтра англичанин, как на работу, пришел с мешком золота, уселся играть, но удача от него отвернулась. Он долго упорствовал, веря в свои девять цифр, и, лишь спустив кучу денег, вдруг заметил, что на колесе больше нет знакомой царапинки. Тогда Джаггер прошелся по зале и обнаружил, что колесо с царапинкой пересажено на другой стол. Пересел и Джаггер. Что вы думаете? Фортуна снова ему заулыбалась.

Поразительней всего, что директор казино не выставил подозрительного иностранца за дверь или не приказал проломить ему башку в тихой аллее. Все-таки времена были еще пасторальные.

Поединок Джаггера с казино продолжался еще несколько дней.

Рулеточные колеса разбирали и снова собирали, передвигали столы, но неправильную балансировку обнаружили не скоро — на пике удачи настырный инженер был в плюсе на три миллиона.

Потом механики казино все-таки уяснили, в чем дело. Джаггер начал стабильно проигрывать, в конце концов сказал себе: «I can get no satisfaction» — и ретировался. Его куш составил два миллиона франков, что при пересчете на современные деньги примерно равнялось бы десяти миллионам долларов.

Такова, стало быть, подлинная история.

Возможно, расчетливый англичанин выглядел как-то так. Рисунок И. Сакурова из «Смерти Ахиллеса»

Как вы понимаете, в остросюжетном романе невозможно вдаваться в технические детали балансировки, это сбило бы темп повествования. Поэтому я и придумал для Ахимаса «математическую теорию». Она легко может подвести человека, страдающего злокачественной невезучестью, но сам я в свое время этой методой успешно воспользовался — дважды взял «зеро»: один раз в Японии и один раз в Баден-Бадене (то есть том же Рулетенбурге). Только очень уж это скучно: стоишь, считаешь и ждешь, ждешь. Потом зевая выигрываешь и уходишь. Какой-то поцелуй без любви.

Откуда что берется – 2

Вот короткое описание одного загадочного происшествия, в свое время потрясшего мир.

Одной из самых ярких фигур межвоенной Европы был бельгийский предприниматель и биржевой воротила Альфред Лёвенштейн. Он разбогател на военных поставках, потом сверхразбогател на строительстве электростанций и рискованных инвестициях. Лёвенштейн был дельцом высшей лиги – хватким, безжалостным, невероятно удачливым. А кроме того – светским львом, плейбоем, авиатором, спортсменом. В общем, настоящий хозяин жизни.

Мистер Твистер, акула капитализма

4 июля 1928 года этот баловень фортуны вылетел на личном самолете из Лондона в Брюссель. Большого человека сопровождали секретарь, батлер и две стенографистки. В кабине сидели два пилота.

Когда самолет летел над Ла-Маншем на высоте 1000 метров, Лёвенштейн отлучился из салона в туалет. И больше его никто живым никогда не видел.

Миллионер пропал. Через три недели рыбаки выловили в море труп.

Все терялись в догадках, как мог Лёвенштейн упасть из самолета.

Вот схема, напечатанная в те дни в *The Illustrated London News*:

Единственное, что не вызывало сомнений: миллионер зачем-то открыл не левую дверцу, а правую и вывалился (или был выброшен). Впоследствии дверца захлопнулась под напором ветра (или же ее закрыл убийца).

Версий было несколько, все дурацкие.

В двадцатые и тридцатые годы все настоящие буржуи владели таким «фоккером», он назывался «Летающий кабинет»

Единственный, кто выходил вслед за Лёвенштейном и сообщил остальным об исчезновении, был секретарь. Но у него не имелось никаких причин желать хозяину гибели, к тому же он вряд ли смог бы вытолкнуть крепкого, спортив-

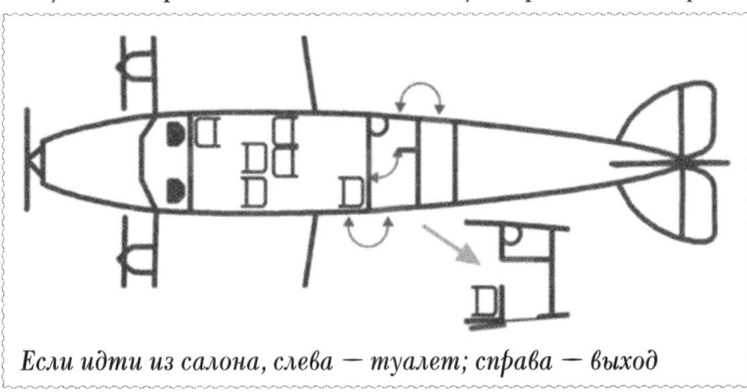

Если идти из салона, слева — туалет; справа — выход

ного Альфреда из самолета (вскрытие установило, что смерть наступила от удара о воду, то есть жертва была жива, когда падала).

Еще возникла гипотеза, что шестеро остальных — участники заговора. Но это было уж совсем фантастично (привет «Убийству в Восточном экспрессе», тогда еще не написанному).

Оставалась версия самоубийства. Однако те, кто лично знал покойного, не могли поверить в то, что он способен наложить на себя руки. Да и с какой стати? Его дела шли великолепно, со здоровьем никаких проблем, впереди — планов громадьё.

Если вы ждете разгадки, то зря. Ее нет. Так и осталось непонятно, что все-таки произошло в небе над Ла-Маншем.

Этот сюжет трансмутировался в новеллу *Unless* из моей книги «Кладбищенские истории». Сюжетного сходства никакого, Лёвенштейн в новелле не поминается.

Просто у меня возникла своя версия того, что могло произойти в «фоккере», — и рассказ про это: что в каждом (ну, или почти в каждом) мужчине, где-то на донышке подсознания, сидит некий чертик. Он подбивает перегнуться через край и заглянуть в бездну, которая пугает и в то же время неудержимо манит. Особенно опасен этот бесенок для мужчин, у которых в жизни всё схвачено и предусмотрено, всё тип-топ и под полным контролем, так что у Хаоса вроде бы не остается шансов нарушить твои планы.

SUICIDE HINTED IN STRANGE DEATH OF EUROPE'S CROESUS

Alfred Lowenstein Believed to Have Opened Wrong Door of Cabin and Plunged Out Into Space Over Channel

Газеты недоумевали

И вот летит такой хозяин жизни над миром и вдруг ощущает идиотское, иррациональное искушение: а не заглянуть ли в бездну? Заглянет — и снова подсасывает под ложечкой, еще сильней: может, прыгнуть?

«Глупости», — говорит себе немолодой, успешный no-nonsense man и даже смеется. Но потом воровато оглядывается на салон (неудобно, вдруг увидят?) и все-таки наклоняется вперед, очень крепко держась за поручни. Возможно, бормочет стихи, знакомые с детства. (Наверняка бельгийцы в школе тоже учили что-нибудь вроде «...И бездны мрачной на краю, И в разъяренном океане, Средь грозных волн и бурной тьмы...» — такие стихи есть у всех народов.)

И мелькает мальчишеская мысль: «А если на миг разжать пальцы — и снова ухватиться? Слабó?»

И разжимает, а ухватиться не получается.

Или не разжимает — просто воздушная яма, тряхнуло самолет.

«Ну ты и кретин», – думает владелец заводов, газет, пароходов, рассекая воздух. Или еще что-то думает, или ничего не думает, просто орет – уже неважно.

Такая вот у меня версия гибели мультимиллионера Альфреда Лёвенштейна.

Кстати говоря, давно замечено, что женщинам ужасно не нравятся мужские саморазрушительные поступки, однако ужасно нравятся мужчины, на это способные.

Или это неправда, уважаемые читательницы?

Странные японские начальники

Одна из самых привлекательных черт японского общества — привычка отвечать за свои поступки и проступки.

Этой традиции испокон веку следует всякий мало-мальски видный японский начальник. Причем ответственным он себя чувствует не перед начальством более высокого ранга, а перед собственной совестью. Точнее, перед собственным чувством стыда, поскольку «совесть» — категория христианской культуры. Японскому начальнику делается до того себя стыдно, что он уходит в отставку, а бывает, что *уходит совсем*.

В японской истории начальников-душегубов не меньше, чем в истории любого другого государства, но есть одно существенное отличие. Посылая подчиненных на смерть, японский душегуб не щадил и себя, а если чувствовал, что виноват, то нередко сам выносил себе смертный приговор. Гитлер, Гиммлер, Геббельс, Геринг покончили с собой от безысходности — чтоб не висеть в петле. Тысячи японских генералов и офицеров в августе 1945-го застрелились или сделали харакири не из страха перед судом, а, так сказать, из стыда перед зеркалом.

Эпопея камикадзе, если рассматривать ее как военно-политическую акцию, выглядит довольно отвратительно: пожилые дядьки, адмиралы с генералами, руководствуясь стратегическими и военно-пропагандистскими соображениями, отправили на верную смерть множество храбрых мальчишек, предварительно запудрив им мозги. Такого дерьма в истории навалом. Вспомним Гитлера, который перед падением Берлина, уже ни на что не надеясь, бросал подростков с панцерфаустами под гусеницы советских танков; или того же бен Ладена, который сидел где-то в безопасном месте и посылал

Фюрер и дети

на гибель юнцов, мечтающих стать мучениками веры.

Считается, что создателями «проекта» по конвейерному производству героев-самоубийц были несколько начальников из руководства императорской военно-морской авиации. К осени 1944-го им стало окончательно ясно, что по военно-промышленным показателям Япония все больше отстает от США, а значит, если и дальше воевать обычными средствами, впереди неминуемый крах. Единственное преимущество японцев перед жирной Америкой — несгибаемый самурайский дух. Тысячи японских мальчиков обрушатся «божественным ветром» на вражеские авианосцы, враг устрашится такой самоотверженности, откажется от планов вторжения в Японию, страну полоумных фанатиков, и предложит почетные условия мира.

В общем, совершенно сатанинский замысел — двух мнений быть не может. Но есть тут некая этноспецифика, которая вынуждает взглянуть на злодеев, решивших погубить цвет японской молодежи, несколько иначе.

Контр-адмирал Масафуми Арима (1895–1944)

Один из авторов скверной затеи, адмирал Масафуми Арима для начала продемонстрировал всем, что такое «божественный ветер»: лично возглавил самый первый вылет камикадзе. Попрощался, снял ордена и знаки различия, сел в двухмоторный самолет и погиб во время самоубийственной атаки на авианосец «Франклин».

Потом его примеру последовали четыре тысячи человек. Они утопили 34 вражеских корабля, 368 вывели из строя, но войну страна всё равно проиграла.

Император выступил с обращением к нации, поблагодарил за героизм и жертвенность, призвал строить новую Японию. В общем: всем спасибо, все свободны.

Но остальные авторы «Проекта Камикадзе» свободными себя не сочли.

Адмирал Матомэ Угаки завершил эпопею, став самым последним из летчиков-самоубийц, прямо в день капитуляции. Вот он перед взлетом, уже без знаков различия. →

Вице-адмирал Матомэ Угаки (1890–1945)

Нападений на американский флот в этот день зарегистрировано не было. Непохоже, что Угаки хотел напоследок утащить на тот свет еще некоторое количество проклятых янки. Просто адмирал не пожелал оставаться в живых — японская ответственность. Упал где-нибудь в море.

А на следующий день главный из *акунинов*, Такидзиро Ониси, служивший в штабе, вдали от боевых действий, сделал харакири, оставив прощальное письмо с извинениями.

Вот какая у японских начальников экзотическая традиция, сохранившаяся и поныне, пускай без харакири. Для проштрафившегося министра или главы обанкротившейся компании стандартом поведения считается взять вину на себя, а не валить ее на подчиненных. Ну не дикари, спрашивается?

Когда-то, в дореволюционные времена, схожие обыкновения существовали и в России, но мы давно избавились от этих глупостей. Наши нынешние начальники, слава богу, люди цивилизованные, современные и обладают железной выдержкой, а то после всех «Курсков», «Норд-Остов» и Бесланов мы уже тысячу раз осиротели бы.

Вице-адмирал Такидзиро Ониси (1891–1945)

И еще про камикадзе

Эпопея японских летчиков-самоубийц вызывает у меня чувства сильные и противоречивые.

Поэтому еще один текст про это. Для ясности.

Процитирую предсмертное послание вице-адмирала Ониси:

«Я обращаюсь к духам камикадзе. От всего сердца благодарю вас за храбрость в бою. Вы верили в победу и погибли прекрасной смертью, как осыпавшиеся лепестки сакуры, но вашим надеждам не было суждено свершиться. Своей смертью я хочу искупить вину перед душами моих солдат и их скорбящими семьями.

Еще хочу обратиться ко всем японцам. Прошу вас: не ведите себя безрассудно, не сводите счеты с жизнью – это будет только на руку врагам. Верьте в священную волю императора, терпеливо сносите боль. Но в испытаниях не забывайте о японской гордости. Вы – сокровище нашей страны. Даже в мирные времена сохраняйте дух камикадзе, не жалейте усилий ради блага японской нации и народов всей планеты».

Вины перед погибшими летчиками у адмирала накопилось столько, что он выбрал для себя мучительную смерть: харакири без секунданта. Его агония продолжалась пятнадцать часов.

Такое чувство ответственности и такая безжалостность к себе не могут не восхищать. Но прощения старому вояке и его соратникам все равно нет и быть не может. Быть безжалостным к себе – право каждого. А вот быть безжалостным к тем, за кого отвечаешь, это уже совсем иное. Большинство летчиков, которых бравые адмиралы отправили умирать, были юнцами, полудетьми. Одурманить им голову крысоловскими трелями, исполненными на волшебной дудке патриотизма, было нетрудно.

Посмотрите на эти лица.

Паренька со щенком в руках (на предыдущей странице) звали Юкио Араки, ему было семнадцать лет. На следующий день после того, как был сделан снимок, он и его веселые товарищи погибли в самоубийственной атаке на американские корабли.

А на этой блеклой фотографии лейтенант Уэмура, из студентов. →

В прощальном письме он, в отличие от адмирала, обращается не к японской нации, а к годовалой девочке со снимка: «У меня с собой в кабине талисман – твоя куколка, а значит, ты со мной. Но на самом деле ты так далеко, и это разрывает мне сердце».

В общем, скажем прямо: героическим японским начальникам было из-за чего мучиться и казниться.

Вот они провожали летчиков на смерть.

Выпьет с мальчиками господин начальник церемониальную чарку (на фото адмирал Фурудомэ, благополучно доживший до глубокой старости – не все поголовно японские начальники самоубийственно стыдливы) и останется на земле.

А мальчики улетят и не вернутся.

Содержание

Литературно-художественное издание

16+

Борис Акунин

НЕЧЕХОВСКАЯ ИНТЕЛЛИГЕНЦИЯ

Короткие истории о всяком разном

Редакционно-издательская группа
«Жанровая литература»

Зав. группой *М.С. Сергеева*
Ответственный за выпуск *Т.Н. Захарова*
Компьютерная верстка *С.Б. Клещёв*

Подписано в печать 27.07.2016 г.
Формат 60×90 $^{1}/_{16}$. Усл. печ. л. 20,0.
Тираж 10000 экз. Заказ № 5718.

ООО «Издательство АСТ»
129085, г. Москва, Звездный бульвар, д. 21, стр. 3, комн. 5

Наш электронный адрес: www.ast.ru
E-mail: astpub@aha.ru

«Баспа Аста» деген ООО
129085 г. Мәскеу, жұлдызды гүлзар, д. 21, 3 құрылым, 5 бөлме
Біздің электрондық мекенжайымыз: www.ast.ru
E-mail: astpub@aha.ru

Қазақстан Республикасында дистрибьютор
және өнім бойынша арыз-талаптарды қабылдаушының
өкілі «РДЦ-Алматы» ЖШС, Алматы қ., Домбровский көш., 3«а», литер Б, офис 1.
Тел.: 8(727) 2 51 59 89,90,91,92, факс: 8 (727) 251 58 12 вн. 107;
E-mail: RDC-Almaty@eksmo.kz
Өнімнің жарамдылық мерзімі шектелмеген.

Өндірген мемлекет: Ресей
Сертификация қарастырылмаған

Отпечатано с готовых файлов заказчика
в АО «Первая Образцовая типография»,
филиал «УЛЬЯНОВСКИЙ ДОМ ПЕЧАТИ»
432980, г. Ульяновск, ул. Гончарова, 14